改訂版　家族に迷惑をかけないために

今、自分でやっておきたい 相続対策

堀口 敦史

同文舘出版

改訂にあたって

　早いもので、平成30年9月に本書初版を出版させていただいてから3年の月日が経ちました。読者のみなさまから、「自分で相続対策を進めることができた」「今まで読んだ相続対策本の中で一番わかりやすかった」など、多くの感謝の声をいただきました。読者の方やお客様に喜んでいただくこと。私たち専門家にとってこれに勝る喜びはありません。

　さて、この3年の間に世の中を取り巻く状況が一変しました。新型コロナウイルス感染症の大流行です。令和元年12月に発見されたこの新型コロナウイルスは瞬く間に世界中に広がり、今もなお私たちの生活に大きな影響を与えています。
　相続の現場においても様々な影響が出ました。新型コロナウイルスへの感染から思いがけない相続が発生し、お別れをいうこともできなかったご家族の悲痛な胸の内を何度も聞きました。また相続手続において、故人の配偶者が介護施設に入居しているような場合には、子らはなかなか施設にいる親と会うことができない、そのため遺産分割協議などの相続手続を進めることができない、ということが起こりました。
　相続税の申告については、申告期限を延長できる措置が用意され、柔軟な対応がなされましたが、コロナウイルスの感染拡大により様々な相続手続に遅れが出ました。私も依頼者と一緒に介護施設に行き、施設入口の自動ドアの前で故人の配偶者と対峙し、大きな声でガラス越しに相続財産の内容について説明させていただくというような経験もしました（本来、大きな声で話すようなことではないのですが）。コロナウイルス対応により、残された家族の相続におけるストレスもさらに大きくなっているようで、家族間でのトラブルがより起きやすい状況といえます。

このように、ただでさえ大変な相続手続が、コロナウイルスの影響によりさらに大変さを増しました。いつかは終息してほしいと願うコロナウイルスですが、我々は今後もつき合っていくことになるでしょう。こんな時代になった今だからこそ、自分のため、家族のために相続対策を進めることの重要度は増しており、読者のみなさまには、ぜひ一歩でも前に進めてほしいと思います。

　とはいえ、何をすることが相続対策になるのかわからない、具体的にどのようなことをすればよいかわからない、という人も多いでしょう。そのような漠然とした相続への不安を持つ方にこそ、本書を読んでいただきたいと思います。"自分と家族のためにできる相続対策をできるところまでやる"これを実践していただければと思います。

　今回の改訂版では、民法の改正を中心に項目を追加しました。相続財産である預金を遺産分割協議の前に一部払戻しを受けることができる制度や自筆証書遺言の一部をパソコンで作成できる制度、自筆証書遺言を法務局で保管してもらうことができる制度、相続手続をより円滑にする法定相続情報証明制度などです。配偶者居住権についても、遺産分割を複雑にするのであまり使い勝手がよいとはいえない制度ですが、知っておいていただきたい内容として紹介させていただきました。また、生前の認知症対策についても相続対策と同様、無視できない問題です。この生前の認知症対策ついては家族信託を紹介させていただきました。

　本書との出会いが、あなたの相続対策を行なうやる気と勇気につながり、家族を円滑で円満な相続に導くきっかけとなってくれればと切に願っております。

はじめに

　平成25年度に税制が改正され、相続税の基礎控除が「5,000万円＋1,000万円×法定相続人の数」だったところ、「3,000万円＋600万円×法定相続人の数」に縮小されました（平成27年1月1日以降に発生した相続よりスタート）。

　この改正により、改正前の平成26年には、死亡者数100人のうち約4人が相続税申告の対象者であったのに対し、改正後の平成27年・平成28年には、死亡者数100人のうち約8人が相続税申告の対象者となり、相続税の申告数は約2倍に増加しました。

　この影響で、相続税という税金がより身近な存在となり、高齢化社会と相まって「相続対策」への関心が高まっていきました。

　「相続対策」が過熱していく中で、私はひとつの違和感を持ちはじめました。それは、基礎控除の改正により、「新たに相続税申告の対象者となる人」と、「以前から相続税申告の対象者となる人」とは、その相続金額の差により相続対策の手法がそれぞれ違って当然なのに、同じ手法が世の中で紹介されているという事実です。

　つまり、「普通の家庭、いわゆる平均的な財産の家庭」と「資産家の家庭、いわゆるお金持ちの家庭」が一括りとなり、書籍やマスコミなどで同じ相続対策が紹介されているのです。

　相続対策に関心がある方に、ここで少し考えてみてほしいのです。「普通の家庭」と「資産家の家庭」に、まったく同じ相続対策が必要になるでしょうか。普通の家庭には普通の家庭の、資産家の家庭には資産家の家庭の相続対策のやり方があるというのが自然な考え方です。

現在、私の事務所では年間約50件の相続税の申告のお手伝いをさせていただいています。町の小さな税理士事務所ですが、私は、この年間約50件の相続税の申告をすべて自ら担当しています。もちろん、事務所内の仕事は優秀なスタッフに任せていますが、私はすべてのお客様に直接お会いし、いろいろなお話をうかがっています。このうち7割以上が、相続財産1億円までの相続税の申告です。

これまでたくさんのお客様にお会いして、相続税の申告を一緒に進めてきました。その中で、「相続が発生する前にこうやっておけばもっとスムーズだったのに」とか「亡くなる前にこういうやり取りがあったからこそ、家族が揉めずに相続を終えられた」など、いろいろと考えさせられ、教えていただく機会があります。

このような経験をさせてもらう中で、気づいたことがあります。それは、相続対策は「誰」であっても必要であるということ（やらなくてもよい人というのは存在しないということ）、相続対策のやり方は、「普通の家庭」と「資産家の家庭」では異なるということです。

「普通の家庭」の対策は、やるべきことがシンプルです。そして、このシンプルな相続対策を、できることだけでも進めることができるかどうかがポイントになるのです。

つまり、「やるか、やらないか」。それだけなのです。

本書を読み進めていただくと、もしかしたら項目によっては、あまりに単純な手法だと感じてしまうかもしれません。しかし本書は、相続対策を難しい、面倒くさいと思っている方にも、「こんな簡単なことでも相続対策の第一歩になる」ということをお伝えしたいのです。

どんなに簡単な相続対策であっても、実際に実行するならば、残された家族への負担を軽減でき、迷惑をかけることなく、円滑で円満な相続を実現することができるのです。そして家族だけでなく、あなた自身にも、これからの人生をすっきりとシンプルに生きる、煩わしい財産管理のストレスをなくす、というメリットがあります。相続対策としての財産整理は、あなたのこれからの人生を豊かなものにしてくれるでしょう。

　さぁ、勇気を持って、家族のために、そして自分自身のために、相続対策をはじめていきましょう。

改訂版　家族に迷惑をかけないために　今、自分でやっておきたい相続対策
目次

改訂にあたって

はじめに

序章　円満相続のために財産整理をはじめましょう！

- 01　相続対策のメリットと本書の目的 …………………… 12
- 02　簡単なことをひとつでも多く実行しましょう ……… 15
- 03　さぁ、相続対策をはじめましょう！ ………………… 19

1章　相続対策の大きな誤解

- 01　相続対策はお金持ちがやることだと思っていませんか？ … 24
- 02　本やセミナーで知識を得て満足していませんか？ …… 26
  - コラム　相続手続中に遺族が最も望んでいること
- 03　相続対策に「早すぎる」ことはない ………………… 30
- 04　相続に対して、あなたと家族の考えは同じではない … 32
- 05　相続税を減らすことだけが相続対策ではない ……… 34
- 06　相続対策は難しくない！　すぐに簡単にはじめられます … 37

2章 これだけは知っておきたい相続の知識

- 01 相続トラブルが起こる理由 ……………………………… 40
- 02 自分が亡くなった時、財産は誰のものになるのか？ ……… 44
- 03 財産を相続するのは誰？ ………………………………… 46
- 04 なぜ遺産を巡るケンカが起こってしまうのか ………… 51
- 05 困った！ 銀行からお金が引き出せなくなる理由 ……… 54
- 06 遺産分割前に預金の一部を引き出す方法 ……………… 56
- 07 財産の所有者を移転させる方法は3つある …………… 58
- 08 認知症になる前にやっておきたい家族信託 …………… 64
- 09 配偶者居住権を知っておきましょう …………………… 66
- 10 「財産のシンプル化」が最高の相続対策！ …………… 68

　コラム　相続は誰に相談すればよい？

3章 「最高の相続対策」にするための流れ

- 01 相続対策の目的地を定める ……………………………… 72
- 02 「体調管理」と同じ流れで行ないましょう …………… 74
- 03 相続対策を進める3つのステップ ……………………… 77

　コラム　人の意見は参考程度にとどめましょう

4章 自分の財産を把握しましょう

- 01 「財産の把握」が相続対策はじめの一歩 …… 82
- 02 相続財産になるものを確認しましょう …… 84
- 03 財産把握のための準備をしましょう …… 88
- 04 預金をまとめましょう …… 90
- 05 有価証券をまとめましょう …… 92
- 06 土地の評価方法を確認しましょう …… 96
- 07 所有している土地をまとめましょう …… 98
- 08 所有している建物をまとめましょう …… 106
- 09 その他の財産をまとめましょう …… 110
- 10 生命保険をまとめましょう …… 113
- 11 債務も忘れずにまとめましょう …… 115
- 12 毎月の自動振替による支払いをまとめましょう …… 117
- 13 家族関係図を作成しましょう …… 119
- 14 法定相続情報証明制度を知っておきましょう …… 122
- 15 法定相続情報一覧図の取得の流れ …… 124
- 16 「財産の把握」総仕上げ！ 財産一覧表を作成しましょう … 127
- 17 財産一覧表から確認できることⅠ …… 129
- 18 相続税の計算で知っておきたい非課税・特例 …… 137
- 19 財産一覧表から確認できることⅡ …… 142

コラム　自分の考えを伝えるのは、ことが起こってからにしましょう

5章 財産を整理しましょう

- 01 財産を整理して、本当に必要な財産だけを残そう ……… 148
- 02 振替口座を一行に集約しましょう ……………………… 152
- 03 預金口座を整理しましょう ……………………………… 154
- 04 証券会社の口座を整理しましょう ……………………… 157
- 05 不動産を整理しましょう ………………………………… 161
- 06 生命保険を見直しましょう ……………………………… 166
- 07 その他の財産を整理しましょう ………………………… 171
- 08 クレジットカードも整理しましょう …………………… 173

コラム　インターネット社会が相続人を苦しめる

6章 財産を移転しましょう

- 01 家族に財産を移転する相続対策の有効な手法 ………… 178
- 02 生命保険に加入しましょう ……………………………… 184
- 03 相続対策における贈与のポイント ……………………… 190
- 04 贈与に関する税金を理解しましょう …………………… 194
- 05 贈与の賢い進め方 ………………………………………… 198
- 06 現金贈与を実行しましょう ……………………………… 202
- 07 遺言のポイント …………………………………………… 210

08	自筆証書遺言を作成しましょう その1	215
09	自筆証書遺言を作成しましょう その2	219
10	自筆証書遺言書保管制度を利用しましょう	223
11	公正証書遺言を作成しましょう	227

コラム　遺言書は「目的」ではなく「手段」です

コラム　家族名義の証券口座にもご注意を

コラム　成年年齢の引き下げと相続への影響

コラム　コロナ禍の相続

7章　家族への想いを形にして残しましょう

01	相続に対するあなたの想いを家族に知らせましょう	238
02	最終版の種類別財産一覧表を作成しましょう	241
03	相続税の状況を作成しましょう	242
04	家族に伝えておくべきことを書きましょう	243
05	あなたの想いを書きましょう	246
06	自分の言葉で家族に想いを伝えましょう	248
07	円満相続のための「財産整理」のまとめ	252

相続対策書き込みシート

おわりに

装幀・本文DTP　春日井恵実

序章

円満相続のために財産整理をはじめましょう！

序01 相続対策のメリットと本書の目的

　相続対策を生前に自分自身で行なうメリットには、あなたの相続発生後の手続の簡易化、相続税の節税などがありますが、何よりも、残された家族間の争いを避けられることが大きいでしょう。

　しかし、メリットは大きいのに、実際に行動に移す人が少ないのが現状です。なぜなら、本人（あなた自身）は相続対策の必要に迫られることがないからです。そこでぜひ、相続の知識を得るだけで満足せずに、本書のノウハウを一歩でも踏み出してほしいと思います。

1　なぜ、相続対策は必要なのか

　あなたとあなたの家族が、残りの人生を仲よく安心して暮らしていくために相続対策は大切です。相続対策は、「自分」と「家族」のために行なうものなのです。

①「自分」のメリット

　自分自身への直接的なメリットとしては、明るく前向きな人生を送ることができる点があげられます。

- **自分の財産を明確に把握することができます。**
- **財産を整理することで、管理がとても楽になります。**
- **自分に必要な財産に囲まれて、前向きに生きていくことができます。**
- **家族に迷惑をかけてしまうかもしれないという不安が解消されます。**

②「家族」のメリット

　家族のメリットとしては、あなたの相続に対する不安がなくなる点があげられます。
- **あなたの相続手続をストレスなく進めることができます。**
- **家族間の相続争いを避けることができます。**
- **事前に相続税額を知ることができるので安心です。**
- **相続税額を抑えることもできます。**

2　本書で進める相続対策の内容

　本書では、関係が良好な家族をお持ちで、将来的にも争いが起きないでほしいと思っている方とその家族を対象として、相続の専門家に頼ることなく、自分自身でもできる簡単な相続対策を解説していきます。

①関係が良好な家族

　本書は、あらゆるパターンの家族を対象としているわけではありません。関係が良好な家族のための相続対策を前提としています。「仲の悪い家族にこそ相続対策は必要なのでは？」「仲のよい家族には必要ないのでは？」と思われるかもしれません。しかし、実際に相続が発生すると、これまで仲のよい家族であっても、小さなことがきっかけでトラブルや争いが起こってしまうことがあるのです。

　本書では、ごく普通の関係良好な家族が、「相続」が原因で、家族関係が悪化してしまわないようにすることを目的としています。

②資産家の家庭ではなく普通の家庭

　本書は、いわゆるお金持ちや地主などを対象としていません。普通の家庭の方が行なう相続対策を解説していきます。

ここで、本書の中での「普通の家庭」を定義しておきます。

資産家や地主、会社オーナーは、取るべき相続対策の手法が普通の家庭とは異なりますので、専門家に依頼することをおすすめします。

本書での「普通の家庭」の定義

> 財産が1億円以下

> 不動産が3つ以下

> 事業を営んでいない
> （中小企業のオーナーではない、個人事業を営んでいないなど）

③自分でできる相続対策

相続対策を最初から専門家（一般的には、弁護士、司法書士、行政書士、税理士など）に依頼する必要はありません。まずは本書を見ながら自分でできる簡単な相続対策を行なってみましょう。難しい相続対策に挑戦することよりも、自分でできる簡単な相続対策を確実に行なうことのほうが大切ですし、効果があります。

④できるところまでを行なう

すべての相続対策を完璧に実行しようとすれば、途中で疲れてやめてしまうかもしれません。「できるところからはじめる」「できるところまで行なう」、このような相続対策を進めていきましょう。できるところまでであっても相続時には確実に効果を発揮します。

序02 簡単なことをひとつでも多く実行しましょう

相続対策をどのように行なっていくかをお伝えする前に、「どんな相続がよい相続なのか」を知っていただきたいと思います。

1　普通の家庭における相続対策のコツ

それは、ずばり「財産のシンプル化」です。普通の家庭における最も重要な相続対策は、**あなたの財産を整理することであり、財産を可能な限りシンプルにすること**です。これにより、相続における様々なことがうまく進みます。ここではひとつ極論で考えてみたいと思います。

例えば、もしあなたの財産が、

> ○○銀行　△△支店　普通預金　残高6,000万円

これだけだったら、あなたの相続が発生した時に、家族はどういう手続をすることになるでしょうか。賃貸住宅に住み、株式や投資信託も持っていないという場合で考えてみましょう。

①相続による名義変更手続

普通預金口座の払戻手続を1回行なうだけなので、手間も時間も最小限で済みます。

②遺産分割協議

預金の払戻手続により受け取ったお金を、家族で自由に1円単位まで

分割することができるので、家族間の調整がしやすく、トラブルはほとんど起こりません。

③相続税の申告

通常、税務署へ行き「相続税の申告を教えてください」とお願いしても、「すぐにできるものではないので、税理士に依頼してください」と追い返されてしまうことが多いものです。しかし、相続財産が預金の一種類だけであれば、その預金通帳を持って税務署に行き、「故人の財産はこれだけです。相続税の申告を教えてください」と頼めば、**その場で申告手続を進めてくれる可能性が高くなります。**

また、相続税の申告を税理士に依頼したとしても、相続財産が預金のみなので、財産の評価に手間がかからないことを理由に、報酬を下げてもらうこともできるかもしれません。

④相続税の支払い

相続財産は、「不動産や有価証券」よりも「現金や預金」のほうが相続税評価額は高くなるため、財産が預金のみだと、不動産などを所有している場合よりも相続税は高くなります。しかし、相続財産の合計額である預金残高よりも相続税のほうが高くなることは絶対にないので、家族は相続税を確実に支払うことができます。

そして、相続税を支払った後に残った現金を家族で分け合えばよいのです。また普通の家庭では、最低限の相続税対策を確実に行なっていれば、びっくりするような相続税を支払わなければならないようなことはまず起こりません。一度、相続税の計算をしてみれば、それがわかります。

⑤相続財産の取得

「現金」を相続して困る人はいません。「不動産」や「株式」などを好む人は、それらの財産で相続したいと思われるかもしれませんが、そのような場合でなければ、できるだけ「現金」で相続するのが、とにかく楽なのです。

不動産を相続した場合には、相続手続にお金と時間と手間がかかります。例えば、**不動産を相続すると相続登記が必要**です。相続登記は、原則的には不動産を相続した人が自分で書類を作成して手続をしなければなりません。司法書士に登記を依頼することができますが、当然費用がかかります。そして相続後は、この不動産を賃貸する場合でも、売却する場合でも不動産会社に依頼することになります。さらに、賃貸した場合には不動産所得、売却して利益が出た場合には譲渡所得が発生し、確定申告が必要となります。

有価証券を相続した場合には、相続する人が自分自身の証券口座を開設しなければなりません。また、有価証券を売却して利益が出た場合には譲渡所得が発生し、確定申告が必要となる場合があります。

家族すべての人が「現金」で相続ができることは、家族にとってとてもありがたいことなのです。家族間にトラブルの火種がほとんどない状態といえるでしょう。

2　相続対策の手法

では実際に、本書がおすすめする相続対策の手法を整理しておきます。

①目的（めざすべきところ）

・家族に手間をかけさせないこと
・家族にお金をかけさせないこと

序章　円満相続のために財産整理をはじめましょう！

・家族を揉めさせないこと
・自分の財産を整理し、すっきりと明るい人生を歩むこと
　以上を意識した上で、自分の財産を「必要な財産」と「不要な財産」、「自分が使う財産」と「家族に残す財産」に振り分ける。

②実行（やるべきこと）
・自分の財産を把握すること
・自分の財産を整理すること
・自分の財産を移転すること

③手段（具体的手法）
・財産一覧表を作成する
・必要な財産と不要な財産に整理する
・家族と話し合う
・生命保険に加入する、財産を贈与する
・遺言書を作成する
・家族にあなたの想いを伝える

　相続対策は決して難しいことではありません。**誰にでもできる簡単な対策をより多くやれた人が、家族を守ることができます。**しかし、みなさんがよく知っている普通の相続対策であっても、それを効果的に実行している方は本当に少ないのです。
　本書をきっかけとして、あなたがひとつでも多くの相続対策を行ない、家族が将来の相続への不安を抱くことなく、あなたと家族が今後も仲よく幸せに過ごしていくことができるよう、相続対策を進めましょう。

序03 さぁ、相続対策をはじめましょう!

　ここまで「相続対策」の話をしてきましたが、どのように感じたでしょうか。専門用語が多く、敷居が高いと感じたでしょうか。自分にはできないと思われたでしょうか。しかし、まったくそんなことはありません。相続対策には順序があります。一歩でも踏み出せば、相続発生後に効果を発揮するでしょう。

1　できることからはじめよう

　相続対策は、家族のために、そして何よりあなた自身のために、できることをやればそれでよいのです。しかし、この「できること」がいったい何なのかがわからず、結局何もしないという人がほとんどです。何事も突き詰めて考えていくと、やるべきことは、**「何をやればよいのかを知る」→「それをやる」**この2点だけなのです。

　本書では、「具体的な相続対策のやり方」を知ってもらい、読者の方に一歩前に進んでいただくお手伝いをしたいと思います。

2　相続対策は楽しんでやろう

　相続対策には「やり方」があります。相続対策のやり方がわかれば、具体的な行動に移すことができます。具体的には次の①～⑥のように進めていきます。要は、財産を「並べて」「片づけて」「譲る」です。これらのことを行動に移すことができれば、必ず今よりもよい状況が生まれます。

本書がおすすめする相続対策の行動フロー

①最低限の相続の知識を得る	2章

↓

②相続対策の準備をする	3章

↓

③財産を「把握」する	4章

あなたの財産を並べてみましょう

↓

④財産を「整理」する	5章

あなたの財産をきれいに片づけてみましょう(いらないものは捨てましょう)

↓

⑤財産を「移転」する	6章

あなたの財産を譲りましょう(あなたが使うのか家族が使うのか、分けてみましょう)

↓

⑥家族にあなたの想いを伝える	7章

　相続対策は、「家族のため」でもありますが、何より「自分のため」にポジティブに取り組まなければ実行できないものです。自分の財産を棚卸しすることで、自分が今までどのような人生を送ってきたかが徐々に見えてくるのも相続対策です。

　そして、そこから本当に残したいものを見極めることで、新たな自分の生き方、これから歩む人生の理想が見えてきます。考えただけでワクワクしてこないでしょうか。そう、相続対策は楽しんでやるのがコツなのです。

3　本書の中で使う言葉の説明

　本書では、なるべくわかりやすい内容とするため、できるだけ専門用語を使わないようにし、「わかりやすさ」を優先してお伝えしていきます。そこで、本書の中で使う言葉の一部について先に定義しておきたいと思います。

■あなた、自分

　読者であるあなたのことです。あなたが亡くなった後の話をする時には「あなた」＝「被相続人」となります。

■家族

　あなたが亡くなった時に、あなたの財産を相続することができる人のことです。正確には「相続人」といいます。多くの場合、配偶者と子どもでしょう。あなたが亡くなる前の話をする時には、「家族」＝「推定相続人」（あなたが亡くなった時に相続人となる予定の人）、あなたが亡くなった後の話をする時には「家族」＝「相続人」となります。

■普通の家庭

　前述しましたが、本書の中では、財産が1億円以下、不動産が3つ以下、事業を営んでいない、この3つの要件を満たす家庭のことを指します。

4　相続によく出てくる言葉の説明

　一般的によく使われる言葉の意味を説明します。

■被相続人

　亡くなった人のことをいいます。

■相続人

　亡くなった人の財産を相続できる人のことをいいます。

■遺産

　亡くなった人の財産のことです。「相続財産」ともいいます。

■遺産分割協議

　相続人間で遺産をどのように分けるかを決める話し合いのことです。遺産分割協議で決まった内容を記した書面を「遺産分割協議書」といいます。

■遺言
　亡くなった後の遺産の分割方法などの法律関係を定める、最後の意思表示のことをいいます。
■遺留分
　民法で定められている「相続人が相続できる財産の最低保証割合」のことです。
■相続税
　相続、遺贈などにより、財産を取得した相続人などにかかる税金のことです。
■所得税
　所得税及び復興特別所得税のことです。本書ではまとめて「所得税」と表記します。
■住民税
　市町村民税と都道府県民税のことです。本書ではまとめて「住民税」と表記します。
■預金
　本書では預金と貯金をまとめて「預金」と表記します。預金と貯金の違いは、お金を預ける金融機関の違いです。
　　預金：銀行、信用金庫、信用組合など
　　貯金：ゆうちょ銀行、農業協同組合など
■有価証券
　財産的価値を有する証券のことです。本書では、株券や債券、投資信託の受益証券（本書では投資信託と表記）などをまとめて「有価証券」と表記します。

1章

相続対策の大きな誤解

01 相続対策はお金持ちがやることだと思っていませんか？

相続対策はお金持ちだけがやることだと思っている人が多くいます。しかし、これは大きな間違いです。資産家以外の家庭、つまり平均的な財産の相続であっても、トラブルはたくさん起こっているのです。

1　相続財産トラブルはどの家庭でも起こる可能性がある

　財産の金額と相続トラブルに関する興味深いデータがあります。
　最高裁判所が刊行している「司法統計年報」によると、家庭裁判所における遺産分割事件で、調停などが成立した件数が遺産の価額別に公表されています。このデータを見ると、なんと令和2年度では遺産分割事件の77％以上が相続財産5,000万円以下の家庭で起こっているのです。
　実はこの結果は、「普通の家庭の相続でも遺産分割でトラブルが起こりやすい」ということを示しているのではありません。なぜなら、お金持ち家庭は圧倒的に数が少ないからです。ここで知っておきたいことは、**「財産が多くても少なくても、相続で家族が揉めてしまうことは普通に起こり得る」**という事実です。財産の金額は関係ないのです。

2　なぜ財産が少なくても家族が揉めてしまうのか？

　なぜ、普通の家庭であっても相続で揉めてしまうのでしょうか。その理由を一緒に考えてみたいと思います。大きく2つの理由があげられます。

①**財産の中に不動産がある**

「全財産の大部分が自宅」という家庭が多くあります。不動産は平等に分けるのが最も難しい財産です。その理由は次のとおりです。

- **不動産は、実際に売ってみないと本当の価値がわからない**
　例：5,000万円で売れるかもしれないし、2,000万円でも売れないかもしれない。実際に売ってみないとその答えが出ない。
- **不動産は家族それぞれ価値の捉え方が異なる**
　例：両親と共に過ごした実家を手放したくない、誰も住まない家を持つのは無駄に維持費がかかるなど、意見が分かれる。
- **不動産は売却するのに手間と時間がかかる**
　例：不動産会社の選定、売却価格の設定、買主との契約、譲渡所得の確定申告など。

②**相続対策を行なっていなかった**

お金持ちの家庭では、相続税が問題となることを本人も家族も理解しているため、相続対策についてもともと関心を持っています。税理士や銀行などとおつき合いがあるケースもあり、遺産分割で揉めないよう生前に相続対策を行なっている場合も多いのです。

一方、普通の家庭では相続対策への関心が低く、将来起こる相続について何も準備をしていないため、いざ相続が発生した時には、知識や経験不足により家族の中で不安や不満が広がり、その結果として家族がギクシャクしてしまい相続トラブルに発展してしまうのです。

このように、お金持ち家庭はもちろんのこと、普通の家庭であっても、相続対策は必要なのです。

1-02 本やセミナーで知識を得て満足していませんか？

　実は、相続の知識を得た後、なんとなく満足してしまい、相続対策を行動に移す人が少ないというのが現状です。
　相続に関する本やセミナーは世の中に溢れるほどあり、多くの人が本を買い、セミナーに参加し、熱心に勉強しています。しかし、実際に相続対策を進めている人が少ないのはなぜでしょう。

1　相続対策を実行しない理由とは

　では、なぜ多くの人は行動に移さないのでしょうか。理由を考えてみましょう。

①必要に迫られていない

　死後の相続手続と異なり、生前の相続対策は必要に迫られていません。相続開始後であれば、お葬式にはじまり、死亡届の提出、四十九日、相続の諸手続など次々とやるべきことが降りかかってきますので、やる気のあるなしにかかわらず、家族はやらざるを得ません。
　しかし、生前に行なう相続対策は、大切なことだと頭で理解していても「やる・やらない」は本人に委ねられており、必要に迫られていないため、なかなか行動に移すことができないのです。**「最終的には家族がなんとかするだろう」「どうせ自分が亡くなった後のことだし、自分には関係ない」**という結論に達してしまうことも多いのです。

②「知識を得る」という目的にすり替わってしまっている

　相続の本を読む人やセミナーに参加する人は、相続に対する漠然とした不安を持っていたり、自分の相続について問題意識を持っている人が多く、どのような対策をすべきかヒントを得ようとしています。**そして、相続の知識を得たことで相続対策についても解決したような気持ちになってしまうことが多々あります。**

　しかし、たとえ相続の仕組みを「理解」したとしても、相続対策を行動に移さなければ状況は何も変わらないのです。「相続についてよくわかった」で終わってしまわずに、「行動する」ということを強く意識し、相続対策を行なう目的、目標をしっかり見定めて、一歩一歩前に進めてほしいと思います。

③相続対策の具体的な進め方がわからない

　私のところに来られる方のほとんどが、「**相続対策のやり方がわからない**」「**やり方は調べてわかっているが正しいかどうかがわからない**」「**どこまでやればできたことになるのかがわからない**」とおっしゃいます。

　このような相談を受けることが本当に多いです。相続の本では、相続対策を実行することの「効果」については詳しく書かれていますが、相続対策を具体的にどのように進めるのかについては、あまり書かれていないため、本を読み終えて、そこで止まってしまうのです。

　例えば、相続の本を読んで「生前贈与は相続対策に有効である」ということを頭では理解できます。しかし具体的に「生前贈与」をどうやればよいかについてはやり方がわからないため、実行に移すことができないというようなケースです。

2　あなたが行動しなければ何も変わりません

　確かに相続対策を「やる・やらない」は本人の自由です。絶対にやらなければならないものでもありません。**しかし、いざ相続が起こると、生前に本人がやればとても簡単な手続であっても、死後に家族がやると手間や時間、お金がかかってしまうことがたくさんあり、大変な思いを**します。

　家族に迷惑をかけないためにも、相続対策は**頭で理解するだけではなく、体を動かして実行すべき**だということをまず覚えておいてください。

コラム　相続手続中に遺族が最も望んでいること

　人が亡くなるのは悲しいことです。特に自分の家族が亡くなるとなれば、そのつらさは並大抵のものではありません。私も父が63歳で亡くなりましたが、悲しみは計り知れないものでした。
　そして悲しいという気持ちが癒える間もなく、相続手続という大変な仕事が家族に襲いかかります。預金の名義変更、生命保険金の請求、遺産分割協議、不動産の登記手続、これらを行なうために、戸籍謄本、住民票、印鑑登録証明書の取得など膨大な書類と向き合わなければなりません。

　この相続手続中に家族が最も望んでいることは何だと思いますか。「相続税を安くしたい」でも「たくさん相続したい」でもありません。
　それは「この相続を早く終わらせたい」です。相続手続という状態に辟易してくるのです。故人の死を悲しむ心の余裕を持つことさえできないのです。私は、相続税の申告が終わり、相続手続が終わると、「無事に終わって本当によかったですね。お疲れ様でした」と声をかけています。するとご家族は、「無事に終わってホッとしました」「やっと落ち着いて寝られそうです」「肩の荷が下りました」など、本当にうれしそうな顔をします。

　そう、相続対策をすることで、家族が相続手続を「早く」終われるようにしてあげましょう。そうすることが、家族があなたのことを想う時間をつくってあげることにつながります。それがあなたから家族への最高のプレゼントとなることでしょう。

1-03 相続対策に「早すぎる」ことはない

「元気なうちから相続のことなんて……」と思っている人が多くいます。その結果、ほとんどの人が何も相続対策を実行しないまま相続を迎えてしまいます。

一般的には、体調不良、入院した時、介護施設へ入居した時などがきっかけとなり、相続について考えはじめる人が多いでしょう。しかし、このタイミングでは遅いのです。もし病気や認知症になり、物事を判断する力が低下してしまった場合には、相続対策を実行できなくなってしまうからです。

1 相続対策はいつからはじめるべき？

「相続対策はいつからはじめればよいですか？」という質問を受けた時、私はいつもこう答えます。

「あなたが亡くなった時の話を、家族で笑ってできる間です」

あなたが高齢になった時、体調を崩した時、病気を患っている時、家族は相続について話題にしづらくなります。それは、相続の話はあなたが死ぬ時の話であり、死後にあなたの財産をもらう話だからです。こんな話を入院先で持ちかけられたら、「おまえは私の財産を狙っているのか」と思ってしまうかもしれません。たとえ家族がそう思っていなかったとしても、あなたと家族の間に誤解が生まれやすい環境なのです。

後ほど説明しますが、相続対策では生前に家族と話し合うことがとても大切です。つまり、相続対策はあなたが元気なうちにやらなければな

らないことといえます。

2　相続対策に「早すぎる」ということはない

　相続対策は、あなたの意思や想いを形にして家族に伝えていく大切な行動でもあります。**そして、意思や想いを形にするためにはそれなりの「やる気」と「準備期間」が必要**です。この「やる気」と「準備期間」を考えると、相続対策はできるだけ元気なうちにスタートすべきです。相続対策に早すぎるということはないのです。

3　はじめる時期の目安

　そうはいっても、相続対策をはじめる最良のタイミングを知りたいと思われる方がおられるでしょう。私は「いつからはじめたらよいのか？」とお悩みの方には、「**仕事もひと段落し、比較的時間に余裕が生まれる60代**を目安とされたらどうですか」とおすすめしています。

1-04 相続に対して、あなたと家族の考えは同じではない

「相続対策は生前に」という話をよく耳にされるのではないでしょうか。ではなぜ、相続対策は生前に行なわなければならないのでしょうか。

1　相続対策はなぜ生前に行なうのか

①生前に行なわなければ効果がないものばかり

　本書でもお話していく生前贈与、生命保険の活用、遺言書の作成などの相続対策は、生前に行なわなければ効果がないものばかりです。相続が起こった後に、「相続対策をしておいてもらえばよかった」と家族が後悔しても後の祭りです。そのためにも、家族に迷惑をかけないように、なるべく早くから自分で準備をはじめなければなりません。

②家族で話し合う機会は生前にしかない

　家族に相続が近づいてくると、「相続される人」と「相続する人」、それぞれにいろいろな想いが生まれます。そこで、家族で相続について話し合う機会を持つことができれば、それが最高の相続対策につながるのです。なぜなら、「相続される人」と「相続する人」の想いを共有することができるからです。それが円滑で円満な相続につながります。

2　あなたと家族の考えは同じではない

　私は税理士として、「相続される側（親）」と「相続を受ける側（配偶者や子）」の両方からお話を聞く機会があります。その際に感じるのは、

両者の考えは一致していないという点です。

　例：父と子の考えが食い違っているケース

父は子のために、

「なるべく相続税の負担を軽くしてあげたい」

「子の将来のために、不動産収入が得られるようにしてあげたい」

との思いから、賃貸用の不動産を購入しました。

しかし、父が亡くなった後に子は、

「相続税はかかってもよいので、現金で相続したかった」

「不動産収入があるのはうれしいが、管理や確定申告が面倒くさい」

「現金で相続できれば、このような煩わしい手続は必要なかったのに」

と思いました。父と子の価値観の違いからくる残念な例です。

3　生前に家族で話し合う機会が必要

　親子間のコミュニケーション不足から望まない相続が生まれ、さらにそこから相続トラブルが起こります。しかし、普段から親子が良好な関係でないと、相続について話し合うことは難しいでしょう。また、仲がよいからこそ相続の話ができないという場合もあります。

　家族と相続について話すためには、あなたから家族に話を持ちかけなければなりません。「家族の将来の形」や「どのような形の相続を迎えるのがよいのか」をあなた自身が考えて、その上で家族と話してみましょう。

　話をした結果、自分と家族の考えが異なっていたとしても、家族の意見をすべて受け入れる必要はありません。財産の所有者はあなたですし、将来どうするかはあなたの自由です。しかし、夫婦間や親子間の想いのズレは相続トラブルの種となります。将来あなたの家族が口もきかないような関係になってしまわないように、一度だけでもよいので、家族と相続について話し合う機会を持ってほしいと思います。

1-05 相続税を減らすことだけが相続対策ではない

相続対策を、「いかに相続税を抑えるか」というように、イコール税金対策だと思っていないでしょうか。支払う相続税をなるべく少なくしたいという気持ちはよくわかりますが、相続対策においては相続税を少なくすることよりも先にやらなければならないことがあります。

1　相続対策における3つのポイント

①遺産分割で家族が揉めないようにすること

これを**「遺産分割対策」**といいます。大切な家族があなたの財産を巡って争い、その結果、家族の関係が悪くなってしまうことほど悲しい結果はありません。残された家族があなたの相続財産で揉めないように、生前に準備できることがあります。

　　例：分割しやすい財産に組み換える
　　　　生命保険を活用する
　　　　遺言書を作成する　など

②相続税を支払うお金を準備しておくこと

「納税資金対策」といいます。相続税は、原則として相続発生日から10ヶ月以内に現金で支払う必要があります。財産に課税される相続税は、手元にあるお金で支払えるとは限りません。10ヶ月という短い期間でお金を用意することは簡単ではないため、あなたが相続税を支払えるようにお金を準備しておく必要があります。

例：財産（不動産・株式など）を売却して現金化する
　　　生命保険を活用する
　　　銀行から融資を受ける　など

③相続税を低く抑えてなるべく多くの財産を残すこと
　「**相続税対策**」といいます。財産の評価額を引き下げたり、相続税の非課税財産や特例を利用するといった対策を検討します。注意したいのは、相続税を減らすことに目を向けすぎて財産まで減らしてしまうケースです。相続税をいかに少なくするかではなく、家族の手に残す財産をいかに多くするかという視点で対策を行なうことが大切です。
　例：生命保険を活用する
　　　生前贈与を行なう
　　　各種特例を利用できないか検討する　など

2　相続対策の優先順位は？

　相続対策を進める時は、①遺産分割対策、②納税資金対策、③相続税対策の順で行ないましょう。絶対に「相続税対策」から行なってはいけません。相続税を低く抑えることだけを考えて相続対策を実行すると、遺産分割対策や納税資金対策に悪い影響を及ぼすことが多いからです。
　例：相続税を減らすために、評価額が低い中古の不動産を購入した。
　　　その結果、
　　　⇒分けにくい財産が増えてしまい、うまく遺産分割をすることが難しくなってしまった
　　　⇒不動産を購入するのにお金を使ってしまい、家族は相続税を支払うことができなくなってしまった

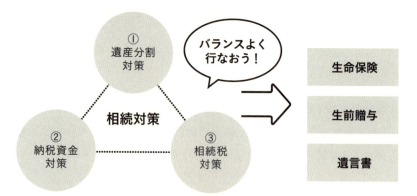

①→②→③の順で進めましょう

　このようなことは実際によく起こっています。相続では、家族が円滑に円満に相続を終えることが最優先事項です。
　相続対策の順番を間違えないように気をつけましょう。また、これらの相続対策はどれかひとつが欠けてもうまくいきません。ひとつの対策に集中するのではなく、バランスよく行なうことを心掛けましょう。

MEMO　相続税申告における「特例」の適用要件

　相続税の申告には、一定の要件を満たす場合に相続税が少なくなる「特例」というものがあります。この特例のほとんどが、相続財産の取得者が決まっていることが要件となっています。つまり、遺産分割協議がまとまっていることが大前提です。特例を利用して相続税を低く抑えるためには、結局、遺産分割対策が先に必要になるのです。

【遺産分割が必要な相続税の特例の例】
　・配偶者の税額軽減　・小規模宅地等の特例
　・農地等の納税猶予の特例　など

06 相続対策は難しくない！すぐに簡単にはじめられます

相続や相続対策を難しいことだと思っている人がたくさんいます。確かに相続は大変です。しかし、難しいことばかりではありません。

1　相続が発生すると大変だと感じる理由

①難しいことだから

民法や相続税法などの知識が必要であること、遺産分割において家族間の意見の調整が必要であることなどがあげられます。

②面倒なことだから

財産の所有者が亡くなっており、その解約手続や名義変更手続を家族全員で行なわなければならないので、手間と時間がかかってしまうことがあげられます。

2　相続が難しいことのように見えている

相続発生後に、「なかなか相続財産の全体像が明らかにならない」「相続税をいくら支払わなければならないのかがわからない」「手続が複雑でなかなか進まない」など、相続財産や相続税額の把握、相続手続に時間がかかっていることが理由で、家族は不安や不満を感じます。

相続が原因で家族がケンカをしてしまうのは、難しさだけではなく、**手間と時間がかかってしまい、そのことが家族のストレス**となっていることも原因のひとつです。つまり、「相続の面倒くささ」が相続をより

難しいことのように見せているのです。

3　難しいことのように見えなくすればよい

　では、どうすればよいのでしょう。それは理由①の「難しいこと」はとりあえず置いておき、理由②の「面倒なこと」を先に解消していくのです。これは生前にあなただからできることでもあるのです。実際に相続対策としてやってほしいことを具体的にあげると、

①**不動産などの換金が難しい財産を極力減らし、できるだけ遺産分割がしやすい現金（預金）や有価証券などの財産を増やす**
　例：将来誰も使う予定のない空家を売却して現金に換える

②**できるだけ財産の種類や数量を少なくして、財産をわかりやすくする**
　例：銀行の預金口座を10口座から2口座に減らす

　つまり、「**財産のシンプル化**」です。
　これらの対策は、相続を「面倒なこと」から「面倒でないこと」に変える最も有効な手段です。

4　「財産のシンプル化」は最高の相続対策

　財産をシンプル化することにより、相続財産を素早く把握することができるようになります。すると、相続税をすぐに計算することができ、また、預金口座や証券口座の数が少なくなるので、手続の手間が減ります。これら一つひとつの行動が、円滑で円満な相続につながるのです。
　相続対策は実行して初めて効果が出ます。積極的に行動して、相続対策をどんどん前に進めることを楽しんでみましょう。

2章 これだけは知っておきたい相続の知識

2章	①最低限の相続の知識を得る
3章	②相続対策の準備をする
4章	③財産を「把握」する
5章	④財産を「整理」する
6章	⑤財産を「移転」する
7章	⑥家族にあなたの想いを伝える

2-01 相続トラブルが起こる理由

「相続」に対して漠然とした不安を持っている人が多くいます。「家族に迷惑をかけないか心配だけど、具体的に何をすればよいのかわからない」このように考えている人は、「相続対策を行なっていないとどのような相続トラブルが起こるのか」を知っておくとよいでしょう。

1 相続手続が大変でなかなか進まない

相続手続とは、あなたが亡くなった時に、あなた名義の財産を家族名義に変更することをいいます。例えば、銀行預金口座の手続の場合、あなたの預金口座を解約し、現金の払戻しを受け、家族の預金口座に入金するという一連の手続があります。この時、銀行に提出しなくてはならない書類は戸籍謄本や住民票など複数あります。

相続手続ではたくさんの書類が必要です。ひとつの手続でも多くの書類が必要な上に、銀行や証券会社などの口座数が多いと、その分、手続書類の作成と必要書類の収集が大変で、手続がなかなか前に進まないのです。

2 遺産を分ける際に、家族でケンカになってしまう

遺産分割は、「一定の財産を相続人の間で取り合う」というトラブルが生じやすい仕組みとなっています。**遺産分割を巡り家族間でケンカがはじまると、長期間にわたる相続争いに発展してしまう可能性があり、家族それぞれに大きな負担と損失が生じます。**例をあげると、①相続税

の申告期限までに遺産分割が間に合わず、必要以上の相続税を支払わなければならなくなった。②家族で解決することができないため、弁護士に依頼して遺産分割をまとめてもらうことになり、余分な費用がかかってしまった。③遺産分割がきっかけで感情的な争いとなってしまい、遺産分割終了後に絶縁状態となってしまった。このようなトラブルが後を絶たないのです。

3　相続人に未成年がいて、遺産分割が行なえない

　未成年者は法律行為を行なうことができないため、遺産分割協議に参加することができません。未成年者に限らず、重い認知症など、法律行為を行なうことができない人も同様です。

　例えば、あなたに未成年の子がいる場合には、その子に代わり代理人（あなたの父母や兄弟姉妹などに代理人をお願いするのが一般的）が遺産分割協議（44ページ）に参加することになりますが、

・代理人に相続財産のすべてを知られてしまう
・代理人をつける手続が面倒である（家庭裁判所で申立てが必要）
・代理人となってくれる人が見つけられない

　などの理由で、**代理人となる適任者を見つけることが難しく、遺産分割そのものを行なうことができないことがあります。**ちなみに、未成年者が2人いる場合には代理人も2人必要です。

4　預金口座が凍結され預金が引き出せない

　銀行に口座名義人が亡くなったことを伝えると、その名義人の預金口座は凍結されてお金を引き出すことができなくなってしまいます。**名義人の預金口座に家族のお金を集中させていた場合には、葬式費用などの必要なお金を出すことができなくなり困ってしまうことがあります。**

5　相続財産のほとんどが不動産で分けることができない

　相続財産が自宅などのひとつの大きな財産で、相続人が複数いる場合には、**相続財産を平等に分けることができず、遺産分割をまとめることができないという事態**が起こります。特に不動産は、売ってみなければ本当の価値がわからず、その上、**人によってその不動産の価値の捉え方が違う**ので、遺産分割協議では、家族全員が納得する分割方法をなかなか見つけられません。また、遺産分割協議の長期化がストレスとなり、家族の関係を悪化させる原因となってしまいます。

6　相続税を支払うお金を準備できない

　相続税は、**「財産課税」「現金一括納付」**という特徴があります。これにより、**相続した財産の中から相続税を支払うことができない**ということが起こります。例外として延納（相続税の分割払い）や物納（不動産などで支払う）ができますが、延納では国へ支払う利息が高くなり返済が大変です。物納は延納でも相続税を支払うのが難しい金額の範囲に限られ、利用価値の高い財産しか引き取ってくれないので、手続がとても難しいのです。

財産課税

法人税や所得税は、所得（平たくいうと、儲け）に対して課税されるのに対し、相続税は、財産（預金、有価証券、不動産など）に対して課税されます。

現金一括納付

相続税は、原則として相続開始日から10ヶ月以内に現金で一括して納付するというルールになっています。

この2つの特徴により、相続財産のほとんどが不動産であったとしても、相続税は「現金」で「一括」で支払わなければならないのです。

7 高い相続税を支払うことになる

相続が発生する前に相続税対策を行なうことで、相続税を低く抑えられます。この相続税対策を行なわずに相続が発生した場合には、**必要以上に高い相続税を支払わなければならなくなります**。

ここまで、相続において想定される代表的なトラブルを見てきました。これらの起こり得るトラブルをまず確認しましょう。家族ごとに起こるトラブルは異なりますので、やみくもに相続対策を行なってはいけません。あなたの家族に起こりそうな相続トラブルを予想し、そのトラブルを未然に防ぐような相続対策プランを立てていきましょう。

02 自分が亡くなった時、財産は誰のものになるのか？

財産は、生きているからこそ所有することができます。当たり前ですが、亡くなれば財産を所有することができません。では、あなたが亡くなったその瞬間、あなたの財産は一体誰のものになるのでしょうか。

1　相続人全員の共有財産となる

あなたが亡くなると、あなたの財産は、原則的に、家族（相続人）全員の「共有財産」となります。これはよく覚えておいてください。

共有とは、「みんなで所有する」ことです。つまり、あなたが亡くなると同時に、あなたの財産をいったん家族全員で所有することになります。そして、相続財産の取得者が決定するまでは、すべての財産を**「法定相続分」**により共有します（48ページ）。

2　共有状態を解消するためには

共有している相続財産を、それぞれの財産とするために、**家族全員が集まって、どう分けるのかを話し合うこと、これを「遺産分割協議」**といいます。家族全員で誰が何を相続するのかを決定していきます。

3　遺言書がある場合には

遺言書がある場合には、あなたが亡くなったその瞬間から遺言書に記載された内容であなたの財産が家族に相続されることになります。

相続開始からの流れ ※相続税の申告は除く

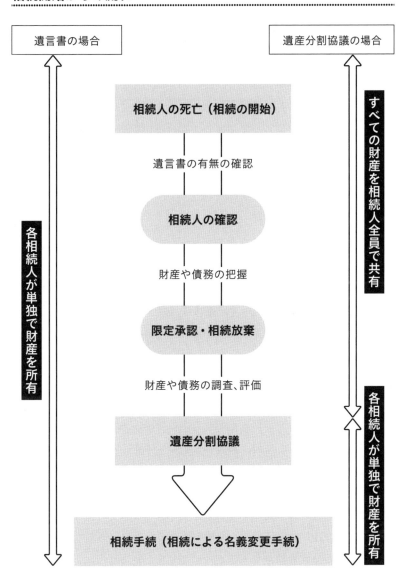

2-03 財産を相続するのは誰？

あなたの財産を相続できる人、相続できる割合については、民法で定められています。もし、あなたが遺言書を作成している場合には、遺言書の記載内容が最優先されます。ただし、遺言書があっても一定の相続人には遺留分があるので注意が必要です。

1 誰が相続人となるか

民法で定められているあなたの財産を相続できる人を**「相続人」**といいます。相続人には優先順位が定められています。

配偶者は常に相続人となります。配偶者以外の親族については、①子（孫）→②父母（祖父母）→③兄弟姉妹（甥・姪）の順に相続人となることができます。前の順位に相続人が存在する場合には、相続人となることができません。

MEMO 孫に相続させることはできるか

あなた（被相続人）の財産を相続できるのは、民法に定められた相続人に限られています。意外と知られていないのが、たとえ相続人全員が認めたとしても、相続人以外の人があなたの財産を取得することはできないという点です。どうしても相続人以外の人に財産を取得させたい場合には、遺言書に孫へ遺贈する旨の一文を書きましょう。なお、民法の改正により2019年7月から被相続人の介護や看病に貢献した親族は相続人に対し、金銭を請求できるようになりました。

相続人の図

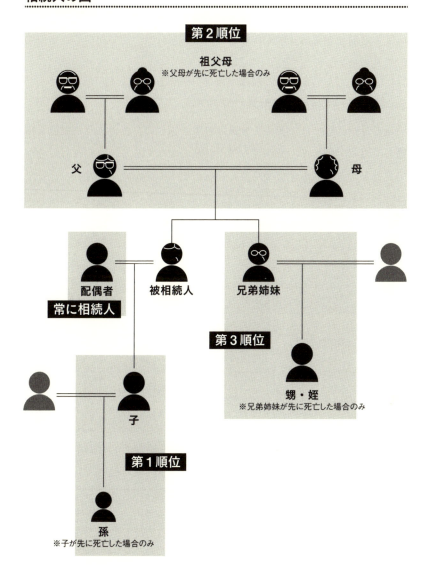

2 「法定相続分」が決められている

　民法で定められている各相続人が相続する割合を「法定相続分」といいます。同じ順位に相続人が複数人いる場合には、法定相続分は均等に分割されます。

3 実は法定相続分は目安

　遺産分割協議では、**相続人全員の合意があれば、どのように財産を相続しても構いません**。配偶者や子が財産のすべてを1人で相続しても構いませんし、相続人全員で均等に相続しても問題ありません。

　とはいえ、相続人が2人以上いる場合には、何の基準もなく相続人間で話し合ったとしても、それぞれが一方的な主張を繰り返すことになり、

法定相続分

相続発生時の状況	順位	相続人	法定相続分
子がいる場合	第1順位	配偶者	1/2
		子(孫)	1/2
子がいない場合	第2順位	配偶者	2/3
		父母(祖父母)	1/3
子・父母がいない場合	第3順位	配偶者	3/4
		兄弟姉妹(甥・姪)	1/4

※( )は、代襲相続人です。( )の前に書かれている親族が先に死亡している場合にのみ相続人となります。
※子は、実子、養子にかかわらず、同順位の相続人、同じ相続分となります。
※子は、婚姻内の子、婚姻外の子にかかわらず、同順位の相続人、同じ相続分となります。
※兄弟姉妹のうち、父母の一方のみが同じ兄弟姉妹については、父母が同じ兄弟姉妹の相続分の1/2が相続分となります。

話がまとまらなくなってしまいます。そこで**民法では、遺産分割を円滑に進めるために相続分の「目安」を用意しています。これが「法定相続分」**なのです。

相続人全員の合意が得られれば、どのように財産を分割しても構いませんが、もし遺産分割で相続人同士が揉めてしまった場合には、家庭裁判所での調停、審判を通じて、最終的には法定相続分に基づいて相続することになります。

4 遺留分

民法で定められている、**「相続人が相続できる財産の最低保証割合」のことを「遺留分」**といいます。たとえ１人の相続人に全財産を相続させる旨が記載された遺言書があったとしても、遺留分を侵害された相続人は、遺留分の侵害額請求をすることにより、遺言書により全財産を相

遺留分の割合

相続人	遺留分	各相続人の遺留分	
		配偶者	配偶者以外の相続人
配偶者のみ	法定相続分の1/2	1/2	−
配偶者と子	法定相続分の1/2	1/4	1/4
配偶者と父母	法定相続分の1/2	2/6	1/6
配偶者と兄弟姉妹	法定相続分の1/2	1/2	遺留分なし
子のみ	法定相続分の1/2	−	1/2
父母のみ	法定相続分の1/3	−	1/3
兄弟姉妹のみ	遺留分なし	−	遺留分なし

続した相続人から、遺留分までの財産を取り戻すことができます。なお、兄弟姉妹には遺留分はありません。

5　遺言と遺産分割協議の優先順位

あなたが遺言書を準備している場合には、原則的にその遺言書の記載内容通りに相続手続を進める必要があります。つまり、**遺言書がある場合には、遺産分割よりも遺言が優先される**ということです。しかし、この遺言書を使用せずに、遺産分割協議書によって相続手続を進めることができる場合があります。

例えば、あなたが作成した遺言の記載内容について、相続人全員が遺言書と異なる遺産分割を希望している場合には、相続人全員で遺産分割協議書を作成して相続手続を進めることができます。つまり、相続人全員の合意があれば、遺言よりも遺産分割が優先されるということです。

ただし、遺言執行者（相続を実行し手続を進める人。相続人以外にも銀行や弁護士がなる場合もある）がいる場合や、遺言により相続人以外が財産を取得する場合（財産の取得者を受遺者といいます）には、遺言執行者と受遺者に遺言と異なる遺産分割を行なうことに対して、同意を得る必要があります。

2-04 なぜ遺産を巡るケンカが起こってしまうのか

遺産分割の場面では、家族の間でケンカが起こってしまうことがよくあります。「まさかうちの家族に限って起こらない」と思っていませんか？ しかし現実には、たくさんの家族が遺産を巡って争っているのです。では、なぜこのようなことが起こるのでしょうか。

1 相続人で財産を取り合わなければならない

遺産分割は、被相続人の財産を、**相続人全員で取り合うという仕組み**になっています。それは1人の相続人が多く相続すると、他の相続人が相続できる財産が減ってしまうという利益相反の関係にあるからです。

2 全員一致で結論を導き出さなければならない

遺産分割では、全員の考えを一致させて結論を出さなければなりません。**全員一致で初めて決定となる**のです。例えば、家族5人で食事に行くとしましょう。食べに行くお店を決める際に、全員の意見が一致することはなかなかありません。たいていの場合、多数決により意見の多かったお店に行くことになります。「うどんが食べたい人3人、そばが食べたい人2人」の場合には「多数決によりうどんのお店に行く」と決定するようにです。

しかし、遺産分割では、5人の意見が「うどんが食べたい人4人、そばが食べたい人1人」という結果になったとしても、「多数決によりうどんのお店に行く」とは決められないのです。全員の意見を一致させな

ければ決定できないからです。全員一致で決める、実はこれがかなり難しいのです。その理由は次のとおりです。

3　相続人それぞれに平等・公平の「基準」が違う

　遺産分割協議（相続人全員で遺産の配分を決める話し合い）を行なう際には、平等に、公平に、分けることを意識します。このことに異を唱える人はほとんどいません。では、なぜ全員が平等に分けようとしているのにケンカが起こるのでしょうか。それは**各相続人の「平等」「公平」の「基準」が違う**からなのです。

　例えば、兄と妹が相続人のケースで考えてみましょう。兄（同時に兄の妻）は、父や母の老後の面倒をまったくみてきませんでした。両親の面倒をずっとみてきたのは妹でした。両親の面倒をみるための交通費や食事代などの費用はすべて妹が自分で負担してきました。このような家族に相続が起こり、遺産分割協議がはじまると、妹は自分が相続する財産の割合が法定相続分である2分の1であったとしても不平等だと感じるようになります。兄が「当然のように」2分の1を相続するような素振りを見せようものなら、今までずっと我慢してきた妹の気持ちが爆発してしまいます。

　このように、「遺産分割の仕組み」と「平等の基準の違い」が相続トラブルの主な原因といえます。争っている人たちの人間性に問題があるわけではなく、**遺産分割の仕組みそのものにトラブルの火種が隠されている**のです。これまで家族の仲が良好だったかどうかは遺産分割においてはあまり関係なくなってしまうこともあるのです。お互い相手を尊重して我慢し続けてきたことが、遺産分割の場面で噴き出してしまうこと

があります。
　「うちの家族に限って」と思われているかもしれませんが、そんな家族ほど遺産分割においてケンカが起こっているのも事実なのです。なぜ揉めてしまうのか？　なぜ争いになってしまうのか？　を正しく理解して、遺産争いが起こらないようにしたいものです。

2-05 困った！ 銀行からお金が引き出せなくなる理由

あなたが亡くなったまさにその瞬間、あなたの財産は家族（相続人）全員の共有財産となるということを前述しました。これを踏まえて、預金口座について考えてみましょう。

1 なぜ預金が引き出せなくなるのか

あなたが亡くなると、**あなたの預金口座は凍結され、お金が引き出せなくなります。**それはなぜかわかりますか？ あなたが銀行の窓口の担当者になったつもりで一緒に考えてみましょう。

ある日、女性が銀行を訪ねてきました。
女性：「主人が亡くなったので、主人の預金口座内のお金を引き出してもらえますか」
銀行担当者：「はい、承知しました」

銀行担当者は、彼女がこの預金口座の名義人の妻であるという確認を取ることができたため、預金口座の解約手続を行ない、預金口座内にあるお金を全額彼女に渡しました。

次の日に、男性が銀行を訪ねてきました。
男性：「父が亡くなったので、父の預金口座内のお金を引き出してもらえますか」
銀行担当者：「昨日、お母様がご来店されたので、解約の手続をして預金を全額お母様にお渡ししました」
男性：「なぜ、そんな勝手なことをするんだ！ 私のお金だぞ！」

さて、この銀行の担当者は、いったい何がいけなかったのかおわかりになりましたか？　それは、家族（相続人）全員の財産である預金口座内の現金を、1人の相続人にすべて渡してしまったことです。もし、このような対応をしてしまった場合には、この払戻した預金について、銀行は責任を取らなければならないでしょう。

2　相続手続3点セット

　そこで、銀行などの金融機関では、**「預金口座の名義人が亡くなったことを知った日」**から、この名義人の預金口座をすべてストップしてしまいます。いったん預金口座が凍結されてしまうと、家族が銀行へ出向いても、銀行はお金を出してはくれません。これらの預金口座からお金を引き出すためには、遺産分割協議を行ない、この預金を誰が相続するか決めた上で銀行所定の手続書類に必要事項を記載し、次の書類を添えて提出する必要があります。

①被相続人の出生から死亡までの戸籍謄本、相続人の戸籍謄本
　　（名義人の相続人は誰か）
②被相続人及び相続人の住民票または戸籍の附票
　　（相続人の住所はどこか）
③相続人の印鑑登録証明書
　　（この預金をいったい誰が相続するのか実印を押して明らかにする）

　この3点セットは、金融機関に限らずどのような相続手続でも必要となるので覚えておきましょう。なお、民法等の改正により2019年7月からは、遺産分割前であっても被相続人の預貯金のうち一定額については相続人が単独で引き出すことができるようになりました。

2-06 遺産分割前に預金の一部を引き出す方法

　民法等の改正により、遺産分割を行なう前であっても被相続人の預金のうち一定額については、各相続人が単独で引き出すことができるようになりました。なお、相続手続により被相続人の預金を引き出すことを「払戻しを受ける」といいます。

1　どのような場合に利用するのか

　この制度は、預金口座の名義人が亡くなり預金口座が凍結した後に、家族が当面の生活費や葬儀費用などを支払うためのお金が必要になった場合などに利用します。

2　いくらまで払戻しを受けられるのか

　相続人が単独で預金の払戻しを受ける場合には、他の相続人との間に不公平が生じることのないよう、払戻金額に上限が定められています。

・相続開始時の預金の1/3×払戻しを受ける相続人の法定相続分
　（預金口座ごと、定期預金は一明細ごと）
・ひとつの銀行からの払戻しは150万円が上限
　（同じ銀行で複数の支店に口座がある場合は銀行合計で150万円まで）

例：
【家族構成】
被相続人：父A　相続人：母B、子C、子D
【相続財産】
父Aの預金：X銀行○支店　600万円
　　　　　　Y銀行△支店　900万円、Y銀行×支店　300万円
【払戻しを受けられる金額】
母B
X銀行○支店：600万円　×　1/3　×　1/2　＝　100万円
Y銀行△支店：900万円　×　1/3　×　1/2　＝　150万円
Y銀行×支店：300万円　×　1/3　×　1/2　＝　 50万円
※ひとつの銀行での上限は150万円なので、Y銀行合計で150万円
合計：100万円＋150万円＝250万円
　⇒　母Bは合計250万円の払戻しを受けられる。
子C、子D
X銀行○支店：600万円　×　1/3　×　1/4　＝　 50万円
Y銀行△支店：900万円　×　1/3　×　1/4　＝　 75万円
Y銀行×支店：300万円　×　1/3　×　1/4　＝　 25万円
合計：50万円＋75万円＋25万円＝150万円
　⇒　子C、子Dはそれぞれ合計150万円の払戻しを受けられる。

3　払戻しを受ける方法

　銀行所定の手続書類に必要事項を記載し、次の書類を揃えて、取引銀行の窓口に提出します。手続後すぐに払戻しを受けられるわけではありませんので、余裕を持って手続を行ないましょう。

・被相続人の出生から死亡までの戸籍謄本、相続人の戸籍謄本
・預金の払戻しを受ける人の印鑑登録証明書

2-07 財産の所有者を移転させる方法は3つある

相続対策では、あなたの財産を配偶者や子などに移転することが効果的です。では、財産の所有者を移転するにはどんな方法があるでしょうか。主な移転方法は3つあります。

その3つの方法とは、①贈与、②売買、③相続です。

1 財産の3つの移転方法

①贈与

贈与は、「ただでお金をあげること、もらうこと」というイメージがあると思いますが、正確には民法上の契約です。説明すると、**「ある人が自分の財産を無償で相手に譲る意思表示をして、相手がこれを承諾することによって成立する契約」**をいいます。財産を譲る人を**贈与者**、受け取る人を**受贈者**といいます。受贈者は自分の家族や親族である必要はなく、他人でも構いません。また、贈与する財産の種類はお金に限りません。現金のほか、不動産や株式などを贈与することもできます。

贈与を利用すると、あなたが生きている間に、あなたの意思で、あなたの財産の所有権を誰かに移転させることができるため、「遺産分割対策」や「相続税対策」において効果を発揮します。

例：あなたと家族との間で贈与により財産を移転する場合
■あなたの現金を子に贈与する
→あなたから子へ「現金」という財産が移転
現金の所有者はあなたから子へ移ります。

■あなたの土地を配偶者に贈与する
　→あなたから配偶者へ「土地」という財産が移転
　　土地の所有者はあなたから配偶者へ移ります。
　　配偶者はあなたへ対価（お金）を支払う必要はありません。

②売買
　「物を買うこと、売ること」というイメージのある売買は、正確には民法上の契約です。**「ある人が自分の財産を相手に譲る約束をして、相手はこれに対して代金を支払うことを約束することによって成立する契約」**をいいます。財産を売る人を**売主**、売ることを**売却**といい、買う人を**買主**、買うことを**購入**といいます。
　売買を利用すると、贈与と同様に、あなたが生きている間に、あなたの意思で、あなたの財産を誰かに移転させることができるため、遺産分割が難しい不動産を、売買により生前に譲りたい人に移転してしまうなど「遺産分割対策」や、財産から収入を得られる場合には、この財産を家族に売却することにより、あなたの収入が家族の収入となり、あなたの財産が増えることを抑える「相続税対策」においても効果を発揮します。
　例：あなたと家族との間で売買により財産を移転する場合
■あなたの土地を子に売却する
　→あなたから子へ「土地」という財産が移転
　　土地の所有者はあなたから子へ移ります。
　　売買なので、子はあなたへ対価を支払う必要があります。
■あなたの株式を配偶者に売却する
　→あなたから配偶者へ「株式」という財産が移転
　　株式の所有者はあなたから配偶者へ移ります。
　　配偶者はあなたへ対価を支払う必要があります。

③相続

相続とは、「ある人が死亡した時に、その人の財産などの権利・義務を特定の人が引き継ぐこと」をいいます。亡くなった人のことを**被相続人**、亡くなった人の財産を引き継ぐことができる人のことを**相続人**といいます。

被相続人の死亡により財産の所有権が相続人に移転されます。相続が発生した時には、次の２つのパターンで財産を分割することになります。

（１）**遺言書がある場合**

遺言書に従って財産を分割します。遺言書がある場合には、あなたの死後、財産の分割方法について、**あなたの意思で、あなたの財産を誰かに引き継がせることができるため、**「遺産分割対策」において効果を発揮します。ただし、一定の相続人は「遺留分」を請求する権利を持っていますので注意が必要です。

（２）**遺言書がない場合**

相続人全員で遺産分割協議を行ない、財産を分割します。遺言書がない場合には、あなたの死後、財産の分割方法について、あなたの意思で、あなたの財産を誰かに引き継がせることができないため、**相続人間で財産の分割方法を巡ってトラブルが起こってしまうことがあります。**

遺言書を作成する前に、あなたの相続が発生してしまった場合には、あなた（財産を残す側）の意思を相続に反映させることができなくなってしまいます。相続対策では、「あなたの財産を誰に承継させるのか？」を考えると共に、あなたの財産の移転時期、移転方法もあわせて検討していかなければなりません。

どの方法を用いて財産を移転していくのかは、財産の種類、財産の所有状況を確認した上で、ケース・バイ・ケースで判断していきましょう。

財産の移転3つの方法

移転の方法	移転の時期	対価の有無	あなたの意思	成立の要件
①贈与	生前	対価なし	反映される	贈与者と受贈者の意思合致
②売買	生前	対価あり	反映される	売主と買主の意思合致と対価の授受
③相続（遺言書あり）	死後	対価なし	反映される	あなたの意思と遺言書の作成
③相続（遺言書なし）	死後	対価なし	反映されない	相続人全員の意思の合致

2　財産の移転には税金がかかる

「贈与」「売買」「相続」は、それぞれの行為を行なうことにより税金が生じます。「贈与」では贈与税、「売買（売却）」では所得税、「相続」では相続税が発生します。これらの方法を実行に移す前に、どれくらいの税金がかかるのかを事前に調べた上で、実行に移しましょう。

3　夫婦間であっても「贈与」を行なうことがおすすめ

お客様の預金通帳を見せていただくと、夫と妻の預金口座間でお金が移動しているケースをよく見かけます。そして、そのお金の動きの内容をお客様にお聞きすると、「これは夫婦のお金なんだから、どちらの口座にあっても同じでしょ？」「私が今までずっと家事をやってきたし、夫の両親の面倒をみてきたんだから、これは間違いなく私のお金です」

「これは私が夫から受け取って、生活費を切り詰めて貯めた私のお金です」という回答をいただくことがあります。

確かに、夫は働きお金を稼いでくる、妻は家を守るというそれぞれの役割があって家庭が成り立っている場合が多いので、夫が稼いできたお金は夫婦2人の財産であるというそのお気持ちもよくわかります。しかし、**夫が稼いできたお金は夫のものであり、妻が稼いできたお金は妻のものです。妻が専業主婦の場合、夫が稼いできたお金で妻の財産をつくっていくには、夫から妻へ「贈与」を行なわなければなりません。**従って、手続どおりに贈与を進めなければ、夫婦間で動いたお金は、贈与ではなく「妻の預金口座内にある夫の現金」いわゆる名義預金となってしまい、相続の場面では相続税のかかる財産と判断されてしまいます。ですから、たとえ相手が配偶者であっても、しっかり贈与の手続を踏んで、贈与を行ないましょう。

4　株式を移転する時は、配当金にも注意すること

贈与や売買により、生前にあなたの株式を家族に移転する時には、株式の名義変更の手続はもちろんですが、配当金の受取先金融機関の変更も忘れずに行ないましょう。株式の名義だけが家族に変更されており、配当金は今までどおりあなたの預金口座で受け取っている場合には、配当金を受け取る権利がある株主が配当を受け取っていないことを理由に「贈与」が成立していない、つまり、家族名義ではあるけれどあなたの所有物であると税務署に指摘され、相続税の対象となってしまうことがあります。株式を移転する時には、配当金の受取先にも注意しましょう。

5　実は第4の財産移転方法がある。「家族信託」（民事信託）

少し複雑な仕組みですが、財産の所有者を移転する方法には、「贈与」

「売買」「相続」のほかに「信託」という方法があります。

信託とは、信託法上の契約で、**「ある人が自分の財産を他の人に信じて託すこと」**をいいます。信託は、「贈与」「売買」と違い、2人ではなく3人の人物が登場します。自分の財産を託す人を**委託者**、財産を託される人を**受託者**、信託された財産から発生する利益を受ける人を**受益者**といいます。また、信託される財産のことを**信託財産**といいます。

信託の大きな特徴は、信託契約が成立することにより、信託財産の名義（所有権）が「受託者」に移ることです。これは、受託者の名義となることにより、受託者が信託財産を円滑に管理、処分できるようにするためです。

信託を利用する主な理由としては、「相続における遺産分割対策として」「高齢者が自分の財産を管理できなくなる前に、適切に管理してくれる人に託す等、生前における認知症対策として」などがあります。

信託は、「信託契約書」を作成し、契約を結ぶことで成立します。信託契約書を自分で作成して信託契約を設定することもできますが、信託には、契約上や法律上のリスクが存在しますので、弁護士や司法書士などの専門家に依頼するほうがよいでしょう。

なお気をつけたいのが、家族信託に相続税の節税効果はないという点です。税金計算上、信託財産は「所有権」にではなく「受益権」に課税されます。委託者の財産を受託者に信託したとしても、信託契約において「委託者＝受益者」となっている場合には、この信託財産は委託者の相続財産として相続税を計算します。たとえあなたの財産を受託者に信託して自分名義でなくなったとしても、相続財産が減るわけではないので注意が必要です。

2-08 認知症になる前にやっておきたい家族信託

預金口座が凍結されるのは何もあなたが死亡した時に限りません。生前であっても「認知症」になるとお金が引き出せなくなります。このような場合を想定した家族信託による認知症対策の例を簡単に紹介します。

1 お金を信託する

もしあなたが**認知症などの理由により判断能力が低下した場合**には、**預金口座が凍結されてしまい**、生活費や介護費用などをあなたの預金口座から引き出して支払うことができなくなってしまいます。そこで、あなたのお金を家族へ託して、お金の管理をあなたに代わり家族が行なうことができるようにします。

例：
委託者：あなた
受託者：長男
受益者：あなた
信託する財産：現金

あなた
委託者　受益者

信託契約
お金を信託

長男
受託者

あなた（委託者 兼 受益者）と長男（受託者）との間で信託契約を結びます。信託する財産はお金です。原則、銀行で長男名義の「信託口口座」を開設します。そしてあなた名義の預金口座から長男名義の預金口座へお金を移します。こうすることで、もしあなたが将来認知症になったとしても、預金口座は長男名義ですので、預金口座は凍結されること

なく長男はお金を引き出すことができます。当然ですが、この口座内のお金は長男の財産ではないので、長男は自分のためにこのお金を使うことはできません。**あくまであなたと長男との間で決めた信託契約の内容に従って長男はお金を使います。**

2　自宅を信託する

　もしあなたが自宅を出て老人ホームなどに入居した後に、認知症などの理由により判断能力が低下した場合には、自宅を売却することができなくなってしまいます。**そこで自宅を家族に託し、自宅の売却や管理をあなたに代わり家族が行なうことができるようにします。**

例：
委託者：あなた
受託者：二男
受益者：あなた
信託する財産：不動産（自宅）

　あなた（委託者 兼 受益者）と二男（受託者）との間で信託契約を結びます。信託する財産は自宅です。自宅を二男の名義に変更します。こうすることで、もしあなたが将来認知症になったとしても、受託者である二男が自宅を売却・管理することができます。

3　注意事項

　家族信託を利用すると柔軟な財産管理ができるようになります。しかし受託者は**信託契約で事前に決めておいたこと以外は行なうことができません**ので信託契約書はよく検討して作成する必要があります。弁護士、司法書士等の専門家と相談した上で作成することをおすすめします。

2-09 配偶者居住権を知っておきましょう

民法の改正により、一定の要件を満たした場合に、残された配偶者は「配偶者居住権」を取得することができるようになりました。ここで、大まかな概要を紹介します。

1　配偶者居住権とは

配偶者居住権とは、**あなたが亡くなった後に、配偶者が無償であなたが所有していた自宅に住むことができる権利**のことをいいます。

自宅建物の価値を「居住権（住む権利）」と「所有権（持つ権利）」に分け、それぞれ単独で相続できるようになりました。これにより残された配偶者は自宅の「所有権」を取得しなくても、「居住権」のみを取得することで引き続き自宅に住み続けることができます。自宅の所有者に家賃を支払う必要はありません。

配偶者居住権を取得すると、配偶者は自分が亡くなるまで自宅に住むことができます。また、配偶者居住権に期間を定めることもできます。

2　配偶者居住権の要件

配偶者居住権を取得するための主な要件は以下のとおりです。
①あなたが亡くなった時に、配偶者がこの自宅に住んでいたこと
②あなたが亡くなった時に、自宅が配偶者以外との共有ではないこと
③遺言、遺産分割協議により、配偶者居住権の取得が決まっていること
④自宅建物に配偶者居住権の設定を登記すること

3　配偶者居住権のメリット

①あなたが亡くなった後も配偶者は自宅に住み続けることができます。
②配偶者は自宅の「居住権」のみを取得すればよいため、預金などの財産をより多く相続することができます。

4　配偶者居住権のデメリット

①もし配偶者が住まなくなっても、所有者は自宅を売却できません。
②所有権を取得する相続人にはほとんどメリットがなく、所有権の取得が不満につながる場合があります。

5　配偶者居住権の税金

①配偶者が亡くなった場合

配偶者居住権を取得した配偶者が亡くなった場合には、この「居住権」は消滅するので、配偶者居住権に相続税は課税されません。

②配偶者が配偶者居住権を解除した場合

配偶者がこの「居住権」を期間の途中に、自宅所有者との間で無償により解除した場合には、贈与税が課税されるので注意が必要です。

> **MEMO　配偶者短期居住権**
>
> 配偶者の居住する権利は、民法が改正される以前からありました。それは判例により認められていた「配偶者短期居住権」です。配偶者短期居住権とは、あなたが亡くなった後に、遺産分割協議がまとまるまで（またはあなたが亡くなって6ヶ月が経過するまで）の間、配偶者が無償であなたが所有していた自宅に住むことができる権利のことです。これが形を変えて創設されたのが、今回の配偶者居住権なのです。

2-10 「財産のシンプル化」が最高の相続対策！

1章で、相続対策の3つのポイントについて説明しました。おさらいすると、

- **遺産分割で家族が揉めないようにすること【遺産分割対策】**
- **相続税を支払うお金を準備しておくこと【納税資金対策】**
- **相続税を低く抑えてなるべく多くの財産を残すこと【相続税対策】**

この3つでした。この3つのポイントをしっかりと押さえた上で、「仲がよい家庭」で、「お金持ちではなく普通の家庭」における相続対策のポイントについて紹介したいと思います。この3つを意識すると簡単で効果的な相続対策を行なうことができます。

1 「仲がよい普通の家庭」の相続対策のポイント

①家族が揉めないようにすること

これは「遺産分割対策」と同じです。いくら仲のよい家庭であっても、相続財産が複雑で分けることが難しい状況だと、残された家族の間でうまく遺産分割を行なうことができず、遺産分割が原因でケンカが起こってしまう可能性が高まります。

②家族に手間をかけさせないようにすること

相続手続では、銀行、証券会社、不動産それぞれに手続を行なっていかなければなりません。そうすると当然ですが、あなたの銀行口座、証券口座、不動産の数が多ければ多いほど手続に手間がかかってしまいます。

③**家族にお金をかけさせないようにすること**
　相続財産の内容が複雑になってくると、残された家族が自分たちだけで相続手続を進めることが難しくなります。このような場合には、相続の専門家に依頼しなければならなくなります。相続の専門家と一言にいっても、相続争いの解決は弁護士、相続登記は司法書士、相続手続は行政書士、相続税申告は税理士と、分野によって頼む専門家も変わってきます。専門家を選ぶことのストレス、専門家とやり取りをすることのストレス、報酬を支払うことのストレスなど、家族は様々なことにストレスを感じることになります。

2　この問題を解決するには、ズバリ「財産のシンプル化」！

　①〜③で起こり得る問題を解決する方法は、ズバリ「財産のシンプル化」です。あなたの**財産が、「複雑で」、「数量が多くて」、「分けにくい」ことが相続トラブルの原因**です。あなたの財産をきれいに整理することが、円滑で円満な相続対策の第一歩です。**家族が安心して相続手続を進めていけるかどうかはあなたの行動ひとつです。**

　また、財産をシンプルにすることは、家族のためだけでなく、自分自身のためにもなります。財産の管理がとても楽になりますし、気持ちもすっきりして、**これからの人生を前向きに歩んでいけることでしょう。**

コラム　相続は誰に相談すればよい？

相続を円滑に円満に進めるためには、相続の専門家のサポートを受けたほうがよい場合があります。しかし、どの専門家に何を頼めばよいのかわからないという声をよく耳にします。そこで相続の専門家が行なう主な業務をまとめてみました。

項目／専門家	弁護士	司法書士	行政書士	税理士
1. 遺言書の作成	○	○	○	
2. 遺言書の検認※	○	○		
3. 相続人の調査（戸籍の収集）	○	○	○	○
4. 相続財産の調査	○	○	○	○
5. 相続の放棄※	○	○		
6. 遺留分の減殺請求	○			
7. 相続トラブルの代理交渉	○			
8. 遺産分割の調停、審判※	○	○		
9. 遺産分割協議書の作成※	○	○	○	
10. 相続手続（各種財産の名義変更）	○	○	○	
11. 相続登記（不動産の名義変更）		○		
12. 相続税の申告				○

※司法書士は「相続登記」、税理士は「相続税の申告」の各業務のために必要な場合のみ遺産分割協議書を作成することができます（弁護士、行政書士の資格を有する場合を除きます）。
※司法書士は家庭裁判所に提出する申立書類を代理で作成することができます。

　平たくいうと、弁護士は「法律」の専門家、司法書士は「登記」の専門家、行政書士は「書類作成」の専門家、税理士は「税金」の専門家です。依頼できる相続業務は保有する資格によって異なりますので注意して依頼しましょう。また、「相続」は専門性の高い業務です。たとえ同じ資格の専門家であっても、知識や経験の差によってサービスの質は驚くほど違います。それゆえ相続業務は経験が豊かな相続に精通している専門家を探さなければなりません。実はこれが一番難しいので、あなたが生前に相続のことを依頼する専門家を決めておくことができれば、それが家族のためになります。

3章

「最高の相続対策」にするための流れ

2章	①最低限の相続の知識を得る
3章	②相続対策の準備をする
4章	③財産を「把握」する
5章	④財産を「整理」する
6章	⑤財産を「移転」する
7章	⑥家族にあなたの想いを伝える

3-01 相続対策の目的地を定める

　相続対策では、現在地と目的地の確認がとても重要です。現在地つまり「現在の姿」と、目的地つまり「将来あるべき姿」との差を埋める作業が「相続対策」だからです。そこで、将来あるべき姿、相続対策の目的地（ゴール）をここで明らかにしておきましょう。

1　家族が相続手続で苦労しないようにしてあげること

　「家族が円滑に相続を進められるようにすること」が目的のひとつ目です。相続手続では、預金口座、証券口座の名義変更手続や不動産の名義変更の登記を行ないます。相続手続に必要な書類を漏れなく揃えること、家族間で調整を行なうこと、これらは家族に大きなストレスがかかる作業です。この相続手続になるべく手間がかからないようにしてあげましょう。具体的には、預金口座、証券口座、不動産などを減らすことです。**相続が起こった時、家族に「財産をきちんと整理してくれていてよかった」「やることが少なくて本当に助かった」といってもらえるようにしておきたいところです。**

2　家族がなるべく専門家に依頼しなくて済むようにしてあげること

　相続が起こると、専門家にお金を払ってでも相続を前に進めてもらわなければならないという状況になることがあります。特に相続では、手続の種類によって、弁護士（相続争いの解決）、司法書士（相続登記）、

行政書士（相続手続）、税理士（相続税の申告）など、様々な専門家が登場します。

専門家に依頼する時、家族は次のようなことを悩むことになります。
- 自分でできる手続なのか、自分ではできない手続なのかわからない
- 誰に何を頼めばよいのかがわからない
- 費用がいくらかかるか不安
- 知識不足につけ込まれ、騙されてしまわないか不安

特に、「相続税の申告を税理士に頼みたいけど、どうやって先生を探せばよいのか」など、誰に依頼をするのかを決めることは、とても労力がいることです。もし、あなたが自分の財産をなるべくシンプルにしてきちんと管理し、素人でも手続しやすい状態にしてあげておくことができたとすれば、専門家に依頼しなければならない手続を減らすことができます。これこそが家族に喜ばれる相続対策なのです。

3 家族が相続を終えた後も仲よくつき合っていけるようにすること

これが相続対策における最重要目的地です。**「円滑な相続」**だけではなく、**「円滑で円満な相続」**でなければなりません。いくら円滑であっても、遺産を分けた後に家族間でわだかまりが残るようでは、円満な相続を終えたとはいえません。家族全員が納得できる相続にすることはあなたの**相続対策の最大の目的**といえます。この目的を達成するためには「あなたの意思」を家族に理解してもらうことがポイントです。

3-02 「体調管理」と同じ流れで行ないましょう

相続対策は、どのように考え、どのように進めていくのがよいのでしょうか。それを理解してもらうために、「相続対策」を「体調管理」にたとえて説明したいと思います。

1 まずは「財産の把握」から

まずは、あなたは自分のことをもっとよく知らなければなりません。体調管理でいうところの**「健康診断」にあたるのが、あなたが自分の現在の財産状況を「把握」すること**です。あなたが自分の財産について把握していなければ、家族があなたの財産を把握することなど到底できません。あなたの財産を一覧表にまとめて、家族があなたの財産を一目で把握できるようにしておきます。また、財産一覧表からわかることを確認しておきます。

2 次に「財産の整理」

次に、あなたの財産をもっとわかりやすくシンプルにすることです。「体調管理」でいうところの**「生活習慣の改善」にあたるのが、あなたが自分の財産を「整理」すること**です。例えば、あなたが全国あちこちの支店にたくさんの銀行の預金口座を持っているとします。家族はあなたの財産の把握が難しい上に、相続手続（預金の引き出しや解約）でとても大変な思いをします。そうならないようにするため、財産の種類、数量をできる限り少なくし、財産の内容をシンプルにしておきます。

相続対策を体調管理に置き換えてみると

体調管理	相続対策
身体	財産
健康診断	財産の「把握」
生活習慣の改善	財産の「整理」
薬の服用	財産の「移転」

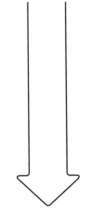

3 最後に「財産の移転」

「財産の把握」と「財産の整理」ができれば、最後にあなたの財産を家族に移転していきます。「体調管理」でいうところの**「薬の服用」にあたるのが、あなたの財産を「移転」すること**です。生前贈与や生命保険の活用、遺言書の作成などを利用して、効果的な相続対策を確実に進めていきます。

ここで注意すべきことは、**財産の移転は、あなたが今後生活していくために必要な財産を十分に持っていることが大前提**だということです。贈与や生命保険を利用して財産を移転する場合には、必ず余裕資金の範囲内で行ないましょう。

あなたが今後必要となるかもしれないお金を使って財産の移転を行なってしまえば、相続税は低く抑えられるかもしれませんが、あなたの

これからの生活が苦しくなってしまいます。生活に支障が出るようであれば財産を移転する意味などありません。また、財産の移転を積極的に進めたことで、逆に将来家族が揉めてしまうことがあります。子に不平等な贈与を行なった結果、子同士が不仲になってしまった場合が考えられます。そうなってしまわないように財産の移転をする場合には、家族が納得できるように、あなたの意思を家族にしっかりと伝えることを忘れないでほしいと思います。

　薬に副反応があるように、財産の「移転」は、やり方を間違えてしまうと、予想していた効果とは別の効果が出てしまうことがあります。そうならないよう、よく考えて実行しましょう。

　どれも、やればできることばかりです。自分でできる簡単な相続対策を、できる範囲で確実に実行する。これで、家族みんなが幸せになることができるのです。

03 相続対策を進める3つのステップ

　これからはじめる相続対策はステップ1からステップ3で構成されています。

ステップ1：財産を把握する

　預金口座や証券口座、不動産など、財産の所有状況がわかる書類を準備して「種類別財産一覧表」を作成します。どのような財産をどれだけ持っているかをこの時点でしっかり把握し、次のことを確認します。
①相続税の申告は必要か
②相続税はいくらになるのか
③家族は相続税を支払うことができるか
④遺産分割がしやすい財産状況か

ステップ2：財産を整理する

　種類別財産一覧表を見ながら、次のことを行ないます。
①あなたの財産を再確認する
②必要なものと不要なものに分ける
③財産の種類や数量を減らして極力シンプルにする

ステップ3：財産を移転する

　まず、財産の移転が本当に必要なのかどうかを判断します。そして財産の移転が相続対策に必要で効果があると判断した場合には、あなたの

財産を家族に移転することを検討し実行します。そして最後に、遺言書を作成し、財産を相続させる家族を確定させます。
①生命保険加入の検討
②生前贈与の実行
③遺言書の作成

最後に：家族にあなたの想いを伝える

　財産一覧表など家族のために残す書類をまとめます。書類がまとまったら家族を集め、あなたが作成した書類を元に、家族にあなたの「意思」と「想い」を伝えます。

コラム　人の意見は参考程度にとどめましょう

【家族構成】
　　被相続人：父A
　　相続人：母B、両親と同居していた子C、
　　　　　両親と同居していなかった子D

　父Aに相続が発生し、母B、子C、子Dが相続人となりました。
　子Cは、今まで両親と同居しており、長い間、父の老後の面倒をみていました。自宅は古い建物ですが、都会にあるため路線価が高く、自宅だけで相続財産の90％を超えていました。父Aは生前から、「この家は、将来Cが相続すればよい」と子Cにいっていました。また、Cは近所の友人から、「普通、同居していない子どもは、家の相続は放棄するものだよ。もちろん、うちではそうだった」という話を聞いていました。
　子のCとDは、普段から仲がよく、CはDが当然自宅の相続を放棄してくれる（相続しない）ものだと思っていました。しかし、いざ相続が発生すると、思わぬ展開になりました。すでに自分の両親の相続を経験していたDの配偶者が、「Dにも法定相続分を相続する権利があるのだから、ちゃんと主張して」とDにいったことが発端となり、遺産分割がまったく進まなくなってしまったのです。

C：「私はずっと父と母の面倒をみてきた。大変さをわかっていない！」
D：「私だって、毎週父や母に会いに来ていた。ほったらかしにしてきたつもりなどまったくない！」
C：「父と母からすればDはお客さんみたいなものだから、Dが来る時にはいつもシャキッとしていて全然手がかからなかった。父や母の調子が上がらない朝と夜が大変だったのに」

このように、相続財産とはまったく別の話題でケンカが続きます。法定相続分からすると、Dの主張に問題点はなく、母Bと子Cは、自分が住んでいる家を売却して換金しなければ解決しないところまで追い込まれていきました。そういった話し合いが続き、ようやく自宅の4分の1の持分をDが相続し、売却した時にはDに4分の1の現金が入るようにするという結論で決着しました。しかし、今後も住みたいCと早く売りたいDの間で、いつ売却するのかについてはいまだに対立したままです。

　Cからすれば納得のいかないことも多いでしょうが（特に両親の面倒をずっとみていることなどから）、Dが相続において「法定相続分」を主張することはある意味でもっともなことなのです。ここで重要な教訓は、両親の意思はひとりで聞いてもだめだということです。子全員で聞かなければ意味がありません。より確実なものとするためには、口約束だけではなく遺言書を書いてもらう必要があるでしょう。

　また、相続においては、人の意見を丸ごと受け入れてはいけません。自分が経験した相続の悪かった内情を話す人はほとんどいません。前提条件を知らないで話す内容を真に受けるのはとても危険なことです。財産状況も家族構成も異なる家庭の相続の話は、参考程度にとどめておいたほうがよいでしょう。

4章

自分の財産を把握しましょう

2章	①最低限の相続の知識を得る
3章	②相続対策の準備をする
4章	③財産を「把握」する
5章	④財産を「整理」する
6章	⑤財産を「移転」する
7章	⑥家族にあなたの想いを伝える

4-01 「財産の把握」が相続対策はじめの一歩

相続対策の最初に必ずやらなければならないことがあります。3章で「健康診断」にたとえて説明した**「財産の把握」**です。現在どのような種類の財産をどれだけ持っているか、まずはあなた自身が把握しなくては、効果的な相続対策を行なうことはできません。

1 財産把握のイメージを持つ

財産の把握とは、今あなたが立っている場所、つまり、現在地を確認する作業です。まず、自分の「現在地」を確認し、次に「目的地」を確認します。現在地から目的地に向かって近づくための一つひとつの行動が相続対策なのです。

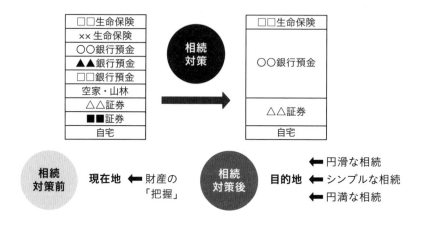

2 何を把握すべきかを理解する

以下の4点を知った上で進めると、理想的な相続対策を行なうことができます。

①あなたの「財産」を把握する
どのような財産をどれだけ持っているのか

②あなたの「家族」を把握する
相続人となる人は誰か

③あなたの「収入」を把握する
今後あなたの財産はどのように増えていくのか

④現在の「制度」を把握する
民法や相続税法は、現在どのような仕組みとなっているのか

相続対策のイメージ

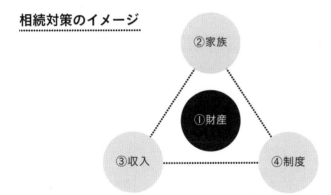

この4点を把握すれば、効果的な相続対策を行なうことができます。しかし、これらすべてのことを把握するのはとても大変です。そこで本書では**「財産を把握すること」**と**「家族を把握すること」**の2点に絞って、現状の把握を進めていきたいと思います。具体的には、「財産一覧表」と「家族関係図」を作成します。

4 02 相続財産になるものを確認しましょう

財産を把握する前に、相続財産となるものにはどのようなものがあるのかを確認しておきましょう。プラスの財産だけでなく、マイナスの財産も相続の対象となります。

1 プラスの財産を確認する

プラスの財産は、大きく分けて、現金預金、有価証券、不動産、その他の財産に分類されます。相続発生時には、すべての財産を丁寧に確認

プラスの財産			
	相続財産となるもの	相続対策で把握すべき財産	必要書類
現金預金	現金、預金 など	現金、預金	●預金通帳
有価証券	株式、国債、社債、投資信託 など	株式、国債、社債、投資信託	●証券会社から発行される取引残高報告書
不動産	土地、建物 など	土地、建物	●固定資産税の納税通知書（直近のもの） ●登記事項証明書（登記簿謄本）
その他	自動車、ゴルフ会員権、貸付金、貴金属、骨董品、家財道具、借地権、著作権、保証金 など	自動車、ゴルフ会員権、貸付金、借地権	●車検証 ●ゴルフ会員権証書 ●借用書 ●不動産賃貸借契約書 ●介護施設の契約書 など
みなし相続財産※	生命保険金、死亡退職金 など	生命保険金	●保険証券

※相続財産ではないため、遺産分割の対象となりませんが、相続税の計算上は相続財産とみなされます。

していく必要がありますが、相続対策の時点では、**現金預金、有価証券、不動産、貸付金、自動車など あなたの主な財産を大まかに把握できれば十分**です。

2 マイナスの財産を確認する

マイナスの財産には、借入金、未払金、預り金などがあります。また相続税の計算上は、マイナスの財産に加えて、「葬式費用」をプラスの財産から控除することができます。

相続対策において確認することができるマイナスの財産は、**借入金、預り金などの一部の財産**に限られます。

マイナスの財産			
	相続財産となるもの	相続対策で把握すべき財産	必要書類
借入金	借金、アパートローン、マイカーローン など	借金、アパートローン、マイカーローン	●借用書 ●借入金返済予定表 など
未払金	相続開始時に未払いの医療費、水道光熱費、税金 など	—	—
預り金	親族からの預り金、貸借人からの預り保証金	預り保証金	●不動産賃貸借契約書
葬式費用※	葬儀費用、火葬費用、お寺へのお布施 など	—	—

※マイナスの財産ではありませんが、相続税の計算上はプラスの財産から控除することができます。

3 みなし相続財産を確認する

生命保険金は、保険金の受取人である家族が保険会社に請求するものであり、あなたから引き継ぐものではないため、相続財産ではありません（遺産分割の対象にもなりません）。しかし、実際には、あなたが保

険料を負担し、あなたの死亡により家族は保険金を受け取るため、相続財産に限りなく近い性質を持っています。

それゆえに、**相続税の計算上は、生命保険金を相続財産とみなして、相続財産に含めて相続税の計算をします。これを「みなし相続財産」といいます。**生命保険金以外にも下記のものがあります。相続財産とあわせて確認しておきましょう。

主なみなし相続財産

みなし相続財産 (相続税法上財産とみなされるもの)	生命保険金
	死亡退職金
	生命保険契約に関する権利
	年金受給に関する権利 など

4 相続税にも注意しよう

相続対策における財産の把握においては、遺産分割協議の対象となる民法上の相続財産だけではなく、相続税の計算を念頭において、「相続税計算上の相続財産」となるものも確認しましょう。

民法上の相続財産と相続税法上の相続財産の違い

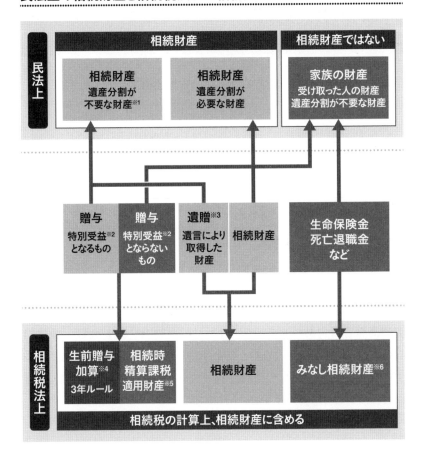

※1 特別受益となる贈与については、贈与を受けた金額を相続財産に加算して相続分を計算しなければなりませんが、すでに贈与により所有権が移転している財産であるため遺産分割の対象となりません。
※2 特別受益は6章1「家族に財産を移転する相続対策の有効な手法」を参照
※3 遺贈は6章7「遺言のポイント」を参照
※4 生前贈与加算は6章4「贈与に関する税金を理解しましょう」を参照
※5 相続時精算課税は6章4「贈与に関する税金を理解しましょう」を参照
※6 みなし相続財産は本項を参照

4-03 財産把握のための準備をしましょう

財産の把握をはじめる前に、必ずやっておきたいことがあります。

1 必要な資料を用意する

右ページのチェックリストを見ながら、必要な書類を準備しましょう。

2 基準日（日付）を決める

いつ時点（〇月〇日現在）の財産を確認していくのかを決めておく必要があります。ここでは、財産を把握する時点のことを「基準日」と呼ぶことにします。

証券会社の口座を持っている場合は、基準日を証券会社が作成する取引残高報告書にあわせて、3月31日、6月30日、9月30日、12月31日の4つの日の中で、なるべく現在に近い日を選ぶと財産の把握がしやすくなります。証券会社の口座を持っていない場合には、どの時点を基準日に設定しても構いません。

> **MEMO　パソコンを使うと便利**
>
> 書き直すことも多くなるので、ボールペンより鉛筆を使って書き進めるほうがよいでしょう。また、一覧表の作成は手書きでもできますが、パソコン（Excelソフトなど）を利用すると修正も素早くでき、より早く簡単に作成することができます。

必要資料チェックリスト

	用意する資料など
現金預金	☐ 手元にある現金 ☐ 預金通帳
有価証券	☐ 証券会社の取引残高報告書 ☐ 配当金計算書 ☐ 出資証券
不動産	☐ 固定資産税の納税通知書 ☐ 登記事項証明書
生命保険	☐ 保険証券 ☐ 保険契約の状況のお知らせ
その他の財産	☐ ゴルフ会員権証書 ☐ 借用書(お金を貸している場合) ☐ 車検証、自動車購入時の契約書 ☐ 貴金属、書画、骨董を購入した時の契約書や領収書 ☐ 介護施設入居時の契約書
債務	☐ 金銭消費貸借契約書、借入金返済予定表、借用書 ☐ 不動産賃貸借契約書(不動産を貸している場合)
その他	☐ クレジットカード、クレジットカード利用明細書
一覧表の作成に必要なもの	☐ 筆記用具(鉛筆、消しゴムなど) ☐ 用紙(レポート用紙、ノートなど) ☐ 電卓 ☐ パソコン

4章 自分の財産を把握しましょう

04 預金をまとめましょう

　預金口座を一覧表にまとめることは、財産を把握するためのはじめの一歩です。預金口座名と預金残高を記入するだけのとても簡単な作業ですが、相続対策としての効果は絶大です。作成手順を見ながら、預金一覧表を作成してみましょう。

1　預金通帳を用意する

　まずは、自分名義の預金口座の通帳をすべて用意しましょう。自分が普段から使用している預金口座のほか、配偶者が管理している生活用の共同口座で自分名義となっているものや、配偶者名義であっても、あなたが得た収入を預けている預金口座があれば、その預金通帳もあわせて用意します。直近の取引状況が記帳されていない場合は、預金一覧表を作成する前に銀行やＡＴＭで記帳をしておきましょう。

2　預金口座と残高を確認する

　預金通帳を一枚めくると、そこには、「銀行名」「支店名」「種類」「口座番号」が記載されています。これらの情報を確認しましょう。
　次に、4章3「財産把握のための準備をしましょう」で設定した基準日現在の預金口座の「残高」を確認しましょう。

3　預金一覧表に書き込む

　「預金一覧表」に次の①〜⑤の情報を書き込みましょう。

①銀行名　②支店名　③種類　④口座番号　⑤残高

最後に、預金残高の合計額を計算しておきましょう。

総合口座

おなまえ　**山田 太郎**　サマ

口座番号　1234567

丹後銀行
千里支店

普通預金

摘要(お客様メモ)	お支払い金額	お預り金額	差引残高
22-5-25　振込		200,000	4,830,000
22-6-1　ATM	80,000		4,750,000
22-6-30　振込		250,000	5,000,000

預金一覧表

2022年6月30日現在

①銀行名	②支店名	③種類	④口座番号	⑤残高	備考
丹後銀行	千里	普通	1234567	5,000,000	
丹後銀行	千里	定期	7654321	3,000,000	
野辺山銀行	万博	普通	1122334	3,000,000	
五湖銀行	山田	普通	1010101	2,000,000	
高野山銀行	山田	普通	2222222	1,000,000	
四万十信用金庫	吹田	普通	3333333	1,000,000	
合計				15,000,000	

4章　自分の財産を把握しましょう

4-05 有価証券をまとめましょう

有価証券には、株式のほか、国債、社債、投資信託などがあります。預金の把握よりも多少難しくなりますが、取引残高報告書があれば、割と簡単に一覧表を作成できます。

1 取引残高報告書を用意する

まず、証券会社から送られてくる「取引残高報告書」を用意します。「取引残高報告書」は、一般的に3ヶ月に一度送られてきます。報告時期は、3月31日、6月30日、9月30日、12月31日の年4回であることが多いです。

2 取引残高報告書から有価証券の情報を確認する

取引残高報告書の中に、「お預り残高等の明細」という書類があります。この書類には、この証券口座に保管されているすべての有価証券が記載されています。「お預り残高等の明細」から各有価証券の「銘柄名」「数量」「評価額」を確認します。

3 有価証券一覧表に書き込む

「お預り残高等の明細」から確認した次の①～④の情報を、「有価証券一覧表」に書き込みましょう。有価証券一覧表は、有価証券の種類（上場株式、国債、社債、投資信託など）ごとではなく、証券口座ごとに作成するほうが簡単にまとめることができます。

①銘柄名　②種類　③数量（株数、口数など）④評価額

最後に、有価証券の評価額の合計額を計算しましょう。

山田太郎 様　　　　　　　　　　　　　　基準日2022年6月30日　現在

お客様の口座番号　000-10000000-000　　**日光証券株式会社**

お預り残高等の明細

【お預り金等の残高】

内訳	残高(評価額)	備考
日光MRF	35,400円	
合計	35,400円	

【国内株式等の残高】

銘柄名	数量	ご参考価格	評価額	備考
白山商事	200株	3,323円	664,600円	
合計			664,600円	

有価証券一覧表

(日光)証券　　　　　　　　　　　　　　　　2022年6月30日現在

①銘柄名	②種類	③数量	④評価額	備考
日光MRF	投資信託	35,400	35,400	
白山商事	上場株式	200	664,600	
	日光証券 合計		700,000	

(柴又)証券　　　　　　　　　　　　　　　　2022年6月30日現在

①銘柄名	②種類	③数量	④評価額	備考
白川物産	上場株式	100	300,000	
	柴又証券 合計		300,000	

4章　自分の財産を把握しましょう

4 上場株式が特別口座で管理されている場合

　株式電子化の期限までに上場会社の株券を証券会社等に預けなかった場合には、この会社の株主名簿管理人である信託銀行に「特別口座」が開設され、株式はそこで管理されています。特別口座で管理されている株式の評価額を計算するには、その銘柄の「株数」と「株価」が必要です。

①株数の確認

　株数は次のいずれかの方法で確認します。
・手元にある株券で株数を確認します。
・配当金計算書に記載されている株数を確認します。
・信託銀行に残高証明書の発行を依頼して株数を確認します。

②株価の確認

　株価は次のいずれかの方法で確認します。
・「Yahoo! ファイナンス」などのサイトで株価を確認します。
・新聞の証券市場のページを見て株価を確認します。

③株式の評価額の計算

・株数×株価＝評価額となります。

5 相続税の申告における上場株式の評価方法

　相続税の申告における上場株式の評価方法は、日々株価が変動することを考慮して「亡くなった日の終値」「亡くなった月の終値平均」「亡くなった前月の終値平均」「亡くなった前々月の終値平均」の4つのうち、最も低い価額を使って相続税評価額を計算することができます。

　しかし、相続対策においては、基準日における終値で評価額を計算します。これで十分相続対策の参考資料となるからです。

有価証券一覧表

2022年6月30日現在

①銘柄名	②種類	③数量	④株価	⑤評価額	備考
すず電機	上場株式	200	18,000	3,600,000	
合計				3,600,000	

4-06 土地の評価方法を確認しましょう

　不動産には、土地と建物があります。まず土地の評価方法について説明します。

1　土地には4つの価格がある

　通常はひとつの物につけられる価格はひとつです。しかし土地の場合は、その利用方法により4つの価格が存在します。

名称	公表先	説明
実勢価格	取引市場	実際に売買された取引価格。いわゆる不動産の「時価」
公示価格	国土交通省	一般の土地取引の指標とするために公表される価格
相続税評価額（路線価）	国税庁	相続税・贈与税を計算するために使用する価格。主に市街地の各道路に価格がつけられている。 公示価格の概ね80%となるように設定されている
固定資産税評価額	市町村	固定資産税・都市計画税を課税するために使用される価格。 公示価格の概ね70%となるように設定されている

　この4つの価格の中で、今回の「不動産一覧表」の作成に使用するのは、「相続税評価額」です。財産総額を把握した後に、相続税の申告と納税が必要かどうかを確認するためです。

相続税評価額の計算は、正確に行なおうとするととても複雑です。しかし、相続対策では、**相続税評価額を概算額で計算し、土地の大まかな金額をつかむ**ことが目的ですので、細かな評価方法を知る必要はありません。なるべく手間をかけずに相続税評価額を計算していきましょう。

2　土地の種類と評価方法

土地には、宅地、農地、山林、雑種地などがあります。それぞれ土地の種類により相続税評価額の計算方法は異なります。

種類	説明	評価方法
宅地	家やビルなどが建っている土地	路線価方式 倍率方式
農地	田や畑などを耕作する土地	純農地：倍率方式 中間農地：倍率方式 市街地周辺農地：宅地比準方式 市街地農地：宅地比準方式 または 倍率方式
山林	木や竹などを生育する土地	純山林：倍率方式 中間山林：倍率方式 市街地山林：宅地比準方式 または 倍率方式
雑種地	駐車場などのその他の土地	近傍地比準価額方式 倍率方式

評価方法には、主に路線価方式と倍率方式があります。この計算方法については、次の項目でお伝えします。

4-07 所有している土地をまとめましょう

　土地を一覧表にまとめることは、少し難易度が上がりますが、一つひとつ押さえていけば必ずできます。作成手順を確認しながら、「不動産一覧表」を作成してみましょう。

■路線価方式で計算する場合■

　宅地に接する道路につけられている価格（路線価）を基に、評価額を計算する方式です。主に市街地にある宅地の評価に適用されます。

　　路線価　×　補正率　×　面積　＝　評価額

　宅地が、複数の道路に接する、奥行が長い、間口が狭い、形が不整形などの理由がある場合、各補正率を乗じて路線価の修正を行ないます。

1　固定資産税の納税通知書を用意する

　市町村から郵送されてくる「固定資産税 都市計画税 納税通知書」（以下、納税通知書）を用意します。通常、その年の4月～5月に郵送されてきます。手元に準備ができない場合には、不動産を所有する市町村の市役所の固定資産税課へ行って、「固定資産評価証明書」または「固定資産の名寄帳」を取得しましょう。

2　土地の情報を確認して不動産一覧表に書き込む

　納税通知書には、「所在地」「課税地目」「地積」「評価額」「課税標準額」「年

税相当額」などが記載されています。これらの中から、①所在地、②課税地目、⑤地積を「不動産一覧表」(101ページ参照)に書き込みます。

```
吹田市        固定資産税 (土地・家屋) 納税通知書
令和4年度      都市計画税
```

(納税通知書の画像)

3 利用状況を確認する

土地は利用状況により評価額が変わります。利用状況が下の表の1～3のどの区分に該当するかを確認し、「不動産一覧表」の③利用状況に書き込みます(後述する倍率方式でも同様)。

	今の状況	利用状況
1	あなたが使用している土地	自用地
2	他人に貸している土地 (土地の上にある建物は土地の借主が所有している場合)	貸宅地
3	他人に貸している土地 (土地の上にある建物も土地と一緒に貸している場合)	貸家建付地

4　路線価を確認する

　以下の手順で、路線価図を取得して路線価を調べます。確認した路線価を、「不動産一覧表」の**④路線価**に書き込みます。

路線価図の取得方法

①国税庁のホームページの「路線価図・評価倍率表」を開く

②所在地の都道府県を選ぶ

③「財産評価基準書目次」の「Ⅰ.土地関係」の「路線価図」を選ぶ

④所在地の市区町村を選ぶ

⑤所在地の地名を選ぶ

⑥所在地の地名を選ぶと地図が出てくる。これが「路線価図」

⑦所有する土地の場所を路線価図で確認する

⑧所有する土地と接する道路に設定されている金額を確認する
　（千円単位で記載。例：180D→180,000円　79E→79,000円）

※金額の後ろに記載されているアルファベットの説明は後述します。

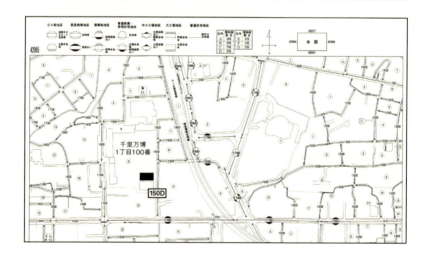

5　評価額を計算する

土地の路線価方式での評価額は、次の式で計算することができます。

> ④路線価 × 補正率 × ⑤地積 ＝ ⑥評価額

この式により計算した評価額を「不動産一覧表」の⑥**評価額**へ書き込みます。土地が複数ある場合には、最後に土地の合計額を計算します。なお、各種の補正率を計算に含めると複雑になるため、相続対策における評価額の計算においては、補正率は考慮せずに評価額を計算します。

不動産一覧表

土地　　　　　　　　　　　　　　　　　　　2022年6月30日現在

①所在地	②地目	③利用状況	④路線価	⑤地積	⑥評価額	備考
大阪府吹田市千里万博一丁目100番10	宅地	自用地	150,000	80.00㎡	12,000,000	自宅
大阪府大阪市淀川区淀川一丁目2番3	宅地	自用地	200,000	50.00㎡	10,000,000	空家
合計					22,000,000	

■倍率方式で計算する場合■

固定資産税評価額に一定の「倍率」を乗じて評価額を計算する方式です。郊外の宅地など、路線価方式が適用されない地域の宅地の評価に適用されます。

> 固定資産税評価額 × 倍率 ＝ 評価額

1　固定資産税の納税通知書を用意する

「固定資産税 都市計画税 納税通知書」（以下、納税通知書）、「固定資産評価証明書」または「固定資産の名寄帳」を用意します。

納税通知書には、「所在地」「課税地目」「地積」「評価額」「課税標準額」「年

税相当額」などが記載されています。これらの中から、**①所在地、②課税地目、④評価額（固定資産税評価額）**を「不動産一覧表」に書き込みます。

2　倍率表を確認する

　次ページの倍率表の取得方法を参考に、倍率表を取得して土地にかかる倍率を調べます。確認した倍率を、「不動産一覧表」の**⑤倍率**に書き込みます。

倍率表の取得方法

①国税庁のホームページの「路線価図・評価倍率表」を選ぶ

②所在地の都道府県を選ぶ

③「財産評価基準書目次」の「Ⅰ．土地関係」の下の評価倍率表「一般の土地等用」を選ぶ

④所在地の市区町村を選ぶ

⑤所在地の市区町村を選ぶと表が出てくる。これが「倍率表」

⑥所有する土地の倍率を倍率表で確認する

⑦固定資産税評価額に倍率を乗じる

例：10,500,000円（固定資産税評価額）×1.1倍（倍率）＝11,550,000円（※自用地の場合）

3 評価額を計算する

土地の倍率方式での評価額は、次の式で計算することができます。

> ④固定資産税評価額 × ⑤倍率 ＝ ⑥評価額

この式で計算した評価額を「不動産一覧表」の⑥評価額へ書き込みます。土地が複数ある場合には、最後に土地の合計額を計算します。

不動産一覧表

土地　　　　　　　　　　　　　　　　　　2022年6月30日現在

①所在地	②地目	③利用状況	④固定資産税評価額	⑤倍率	⑥評価額	備考
大阪府茨木市山の中500番	山林	自用地	40,000	50	2,000,000	
合計					2,000,000	

> **MEMO** 不動産を共有している場合

　固定資産税の納税通知書の宛名に、「〇〇外1名様」と書かれている場合があります。これは、この納税通知書に記載されている不動産が2名以上で所有している共有の不動産であることを示しています。

　あなたが、この不動産における自分の持分を知っている場合には、その持分（例えば、100分の70など）を評価額に乗じて、土地の評価額を計算しましょう。

　もしあなたが、自分の不動産の持分を知らない場合には、不動産がある市町村の管轄法務局で、不動産の登記事項証明書を取得して、この不動産におけるあなたの持分を確認しましょう。持分は「不動産一覧表」の「備考」に書き込んでおきましょう。

> **MEMO** 土地を貸している場合

　土地を貸している場合には、利用状況を確認した上で⑥評価額に借地権割合・借家権割合を考慮した「割合」を乗じて評価額を計算します。

1　借地権割合・借家権割合を確認する

　「不動産一覧表」の③利用状況を確認し、「貸宅地」や「貸家建付地」がある場合には、「借地権割合」と「借家権割合」を考慮して評価額を求めます。利用状況ごとに、路線価図の各道路に価格が設定されています。その価格の後ろに記載されているアルファベット（A〜G）を確認し、「割合の速算表」に当てはめて、「割合」を確認しましょう。

割合の速算表

利用状況	A	B	C	D	E	F	G
自用地	100%	100%	100%	100%	100%	100%	100%
貸宅地	10%	20%	30%	40%	50%	60%	70%
貸家建付地	73%	76%	79%	82%	85%	88%	91%

「借地権割合」「借家権割合」とは、借主の借りる権利の「割合」のことです。

2 評価額を計算する

貸している土地の評価額は、次の式により計算します。

⑥評価額（自用地）　×　割合　＝　評価額

3 備考欄に記載する

「不動産一覧表」の備考欄に、「利用区分」と使用した「割合」を書き、評価額を自用地評価額から変更しましょう。

例：「貸家建付地」「割合82％」と備考欄に記入

4-08 所有している建物をまとめましょう

次は建物です。作成手順を確認しながら、「不動産一覧表」を作成してみましょう。

■建物の評価方法■

建物の評価方法は、「固定資産税評価額×1倍」が相続税の評価額となります。

> 固定資産税評価額×1倍＝建物の評価額

1 固定資産税の納税通知書を用意して一覧表に書き込む

「固定資産税 都市計画税 納税通知書」（以下、納税通知書）「固定資産評価証明書」または「固定資産の名寄帳」を用意します。

納税通知書には、「所在地」「床面積」「種類」「評価額」「課税標準額」「年税相当額」などが記載されています。これらの中から、①**所在地**、③**評価額（固定資産税評価額）**を「不動産一覧表」に書き込みます。

納税通知書の中で、「固定資産税評価額」を表わしているのは「評価額」です。誤って「課税標準額」や「年税相当額」で計算しないように注意しましょう。

2 利用状況を確認する

建物の利用状況を確認します。利用状況が下の表の1と2のどちらに該当するかを確認し、「不動産一覧表」の②利用状況に書き込みます。

	今の状況	利用状況
1	あなたが使用している建物	自用家屋
2	他人に貸している建物	貸家

3 評価額を計算する

評価額は以下の式により計算します。最後に合計額を計算します。

> ③固定資産税評価額 × 1倍 ＝ 建物の評価額

不動産一覧表

建物　　　　　　　　　　　　　　　　　　　　　2022年6月30日現在

①所在地	②利用状況	③固定資産税評価額	④評価額	備考
大阪府吹田市千里万博一丁目100番地10	自用家屋	5,000,000	5,000,000	自宅
大阪府大阪市淀川区淀川一丁目2番地3	自用家屋	3,000,000	3,000,000	空家
合計			8,000,000	

MEMO　建物を貸している場合

建物を貸している場合には、利用状況を確認した上で④評価額に借家権割合を考慮した「割合」を乗じて評価額を計算します。

1 借家権割合を確認する

「不動産一覧表」の②利用状況を確認し、「貸家」を持っている場合には、「借家権割合」を考慮して評価額を求めます。借家権割合は、全国一律30％と決められているので、「割合」には70％と書き込みましょう。

2 評価額を計算する

貸している建物の評価額は、次の式により計算します。

> ④評価額（自用家屋）× 割合 ＝ 評価額

3　備考欄に記入する

「不動産一覧表」の備考欄に、「利用区分」と使用した「割合」を書き、評価額を自用家屋の評価額から変更しましょう。

　例：「貸家」「割合70％」と備考欄に記入

4-09 その他の財産をまとめましょう

預金、有価証券、不動産、生命保険以外の財産については、「その他の財産」として一覧表にまとめていきます。

1 その他の財産の評価方法

その他の財産には、ゴルフ会員権、貸付金のほか、自動車、貴金属、骨董品、家財道具などの一般動産があります。

その他の財産の評価方法

ゴルフ会員権	相続開始日における取引価格の70％に相当する金額（取引価格に含まれる預託金等がない場合）
貸付金	貸付金の元本と利息の合計額
一般動産	原則：売買実例価額、精通者意見価格等
	例外：相続開始日における新品価格から減価償却相当額を控除した価格
自動車	車種、年式、走行距離から所有する自動車と似ている中古車の取引価格
	中古車買取業者の査定価格
	相続開始日における新車の購入価格から減価償却相当額を控除した価格
貴金属・書画・骨董	買取業者の査定価格
	専門家（古美術商など）の鑑定評価額
家財、その他金銭的価値のあるもの	売買実例価額、精通者意見価格等

一般動産の評価の単位

一般動産	原則、1個または1組ごとに評価
	家庭用動産などで1個または1組の価額が5万円以下のものについては、一括して評価

2 必要書類を用意する

それぞれの財産を評価するにあたり、必要な書類を用意します。ゴルフ会員権であれば会員証書、貸付金であれば金銭消費貸借契約書（借用書）を用意します。一般動産については、商品を購入した際の契約書や領収書、自動車であれば車検証を用意します。

その他の財産の評価に必要な書類

ゴルフ会員権	ゴルフ会員権証書
	購入時の契約書など
貸付金	金銭消費貸借契約書
	借用書、借入金返済予定表

一般動産		
	自動車	車検証
		自動車購入時の契約書など
	貴金属・書画・骨董	商品の現物
		商品購入時の契約書など
	家財、その他金銭的価値のあるもの	家財の現物
		商品の領収書など

3 その他の財産を評価する

ゴルフ会員権については、取引価格の70％が評価額となります。取引価格については、ゴルフ会員権の売買仲介会社のホームページで確認することができます。

貸付金については、貸付金額の残高を一覧表に書き込みましょう（利息計算までは必要ありません）。

一般動産の評価方法は、いわゆる時価（売買事例価額または精通者意見価格等）であるため、評価自体が難しいですが、前ページの「その他

の財産の評価方法」を参考にして、できる限り評価をしてみましょう。もしわからなければ、商品の購入金額を一覧表に書いてください。その他の財産は、何を持っているかが重要で、評価額は大きく違わなければよいので、あまり時間はかけずに概算額を書き込みましょう。

4 その他の財産一覧表に書き込む

「その他の財産一覧表」に次の①～④の情報を書き込みましょう。

①商品名　②購入先　③購入金額　④評価額

最後に、その他の財産の合計額を計算しましょう。評価額が不明の場合には、購入額を評価額と仮定して計算します。

その他の財産一覧表

2022年6月30日現在

①商品名	②購入先	③購入金額	④評価額	備考
自動車	隠岐自動車	3,000,000	1,500,000	
ゴルフ会員権	屋久島ゴルフ倶楽部	2,000,000	1,000,000	
貸付金	山田　一郎		500,000	
合計			3,000,000	

4-10 生命保険をまとめましょう

生命保険には、定期保険、養老保険、終身保険などの種類があります。現在あなたが契約しているすべての生命保険の加入状況を確認します。

1 保険証券を用意し、情報を確認する

まず、生命保険の契約時に保険会社から受け取った「保険証券」を用意します。

保険証券には、この生命保険を契約するにあたり、あなたが決定した事項が記載されています。これらの情報を確認していきます。

2 生命保険一覧表に書き込む

保険証券から確認した次の①〜⑦を生命保険一覧表（114ページ参照）に書き込みます。

①会社名 ②種類 ③番号 ④契約者 ⑤被保険者 ⑥受取人
⑦保険金額

最後に、保険金額の合計額を計算しましょう。

3 注意点

⑦保険金額には、あなたの死亡時に家族が受け取る生命保険の保険金額のみ記載しましょう。

例えば、入院した時に受け取る入院給付金の金額などは、相続とは関係ないため、保険金額の箇所に記載する必要はありません。

保険証券はめったに見直すことがない書類ですので、どこに保管したかを忘れてしまいがちです。そこで、加入している生命保険の保険証券はひとつのファイルに整理して、まとめて保管しておきましょう。「保険証券を整理して保管する」、たったこれだけのことであっても、相続が発生した時には、家族にとってとてもありがたいことなのです。

生命保険証券　　　　　　　　　　　　　　　　高山生命

証券記号番号　　　　　　　　　　　　　　　この証券の作成場所・作成日
222第222222号　　　　　　　　　　　　　　　　　　　　2010年12月3日

契約日　2010年11月30日

保険契約者　山田太郎様　　　　　　　受取人
被保険者　山田太郎様　　　　　　　死亡保険金受取人　　受取割合
　　　　　1950年10月1日生　男性　　山田一郎様　　　　100%
死亡保険金額　10,000,000円

生命保険一覧表

2022年6月30日現在

①会社名	②種類	③番号	④契約者	⑤被保険者	⑥受取人	⑦保険金額	備考
高山生命	終身保険	222-222222	山田 太郎	山田 太郎	山田 一郎	10,000,000	
飛騨生命	終身保険	333-333333	山田 太郎	山田 太郎	山田 洋子	2,000,000	
合計						12,000,000	

4-11 債務も忘れずにまとめましょう

次にマイナスの財産についてです。相続対策の段階では、借入金と保証金、敷金を把握しましょう。これらの債務がある場合のみ一覧表を作成しましょう。

1　必要資料を用意する

■借入金

アパートローンやマイカーローンなど、金融機関からお金を借りている場合には「借入金返済予定表」を用意します。金融機関以外からお金を借りている場合には、「借用書」や「借りたお金の金額や返済金額の状況がわかる預金通帳やメモなど」を用意します。

■保証金・敷金

あなたが不動産を貸している場合には、借主から預かっている保証金や敷金が債務となります。保証金・敷金を受け取っている場合は、「不動産賃貸借契約書」を用意します。

2　債務の金額を確認する

■借入金

借入金の返済予定表には、「返済金額」と「利息」、「借入金残高」が記載されています。この借入金返済予定表から基準日現在の借入金残高を確認します。また金融機関以外から借りている場合には「借用書」と「返済状況」から返済すべき借入金の残額を計算します。

■保証金・敷金

不動産賃貸借契約書には、あなたが借主から預かった「保証金」「敷金」の金額が記載されています。この金額を確認しましょう。

3 債務一覧表に書き込む

「債務一覧表」に確認した次の①～④の情報を書き込みましょう。
　①種類　　②内容　　③相手先　　④金額

4 注意点

■借入金

住宅ローンについては、ほとんどの場合が団体信用生命保険へ加入しています。**団体信用生命保険へ加入している場合には、あなたが亡くなると保険金で自動的にローンが返済されます。**つまり、家族が住宅ローンを返済する必要がなくなるため、債務に含める必要はありません。

■保証金・敷金

不動産賃貸借契約では、「保証金」「敷金」以外に、「礼金」や「敷引き」を受け取る場合があります。契約時に「保証金」「敷金」を受け取った場合には、借主が退去する時に、返さなければならないため債務となります。一方、契約時に「礼金」「敷引き」を受け取った場合には、借主が退去してもお金を返す必要がないため債務にはなりません。

債務一覧表

2022年6月30日現在

①種類	②内容	③相手先	④金額	備考
借入金	マイカーローン	隠岐ファイナンス	1,000,000	
預り金	保証金	田中　智史	300,000	
		合計	1,300,000	

4-12 毎月の自動振替による支払いをまとめましょう

あなたの預金口座から毎月自動振替で支払っている生活費を一覧表にまとめましょう。自動振替による支払いには「口座振替による支払い」と「クレジットカード払い」の2つが考えられます。本項では口座振替について説明します。

1 預金通帳を用意する

4章4「預金をまとめましょう」で確認したすべての預金通帳を用意し、口座振替による支払いを書き出しましょう。

2 取引記録を確認する

預金通帳の取引記録を確認し、毎月振替により支払われている生活費を書き出していきます。毎月発生するものには、**電気代、ガス代、水道代、電話代、新聞代、保険料、マンションの管理費、クレジットカード利用料**などがあります。また、一年に数回発生するものには、**固定資産税、住民税**などがあります。これも書き出しておきます。

3 口座振替一覧表に書き込む

「口座振替一覧表」（118ページ参照）に預金通帳から確認した生活費の次の①〜⑤の情報を書き込みます。

①項目　②会社名　③銀行名　④口座番号　⑤支払日

普通預金

摘要（お客様メモ）	お支払い金額	お預り金額	差引残高
22-6-5　ガス	5,160		520,000
22-6-10　水道	7,254		512,746
22-6-15　電話	1,989		510,757
22-6-30　電気	4,935		505,822

口座振替一覧表

2022年6月30日現在

①項目	②会社名	③銀行名	④口座番号	⑤支払日	備考
水道代	吹田市	丹後銀行	1234567	毎月10日	
電話代	NT電話	丹後銀行	1234567	毎月15日	
電気代	KS電力	丹後銀行	1234567	毎月30日	
ガス代	OSガス	丹後銀行	1234567	毎月5日	
新聞代	夕日新聞	野辺山銀行	1122334	毎月30日	
保険料	高山生命	五湖銀行	1010101	毎月30日	
クレジットカード	サロマカード	四万十信金	3333333	毎月10日	

4-13 家族関係図を作成しましょう

あなたの家族構成を把握するための資料をつくりましょう。あなたが亡くなった時の相続人（推定相続人）を確認することができます。家族や親族の名前を図に書き込んで、家族関係図を完成させましょう。

1　どこまで書けばよい？

家系図を作成する時には、親族の情報をわかる限り記載していきますが、ここで作成する家族関係図では、**相続人になる可能性がある人**までにしましょう。つまり、配偶者、子、孫、ひ孫、父母、祖父母、兄弟姉妹、甥姪（兄弟姉妹の子）を書き出します。

2　図に書き込んでいく

家族関係図には、①**名前**、②**続柄**、③**生年月日**、④**年齢**を記載します。すでに亡くなっている人がいる場合には、×印をつけておきましょう。

3　家族関係を正確に把握するためには

あなたの**出生から現在までの戸籍謄本**を取得すると、正確な家族関係を把握することができます。

しかし、出生から現在までの戸籍謄本を取得するには費用がかかります。また、家族や親族についてはあなた自身が一番よく把握していると思います。疎遠になっている親族や音信不通になっている親族などが特にいない場合には、戸籍謄本までは取得する必要はないでしょう。

家族関係図

年　月　日現在

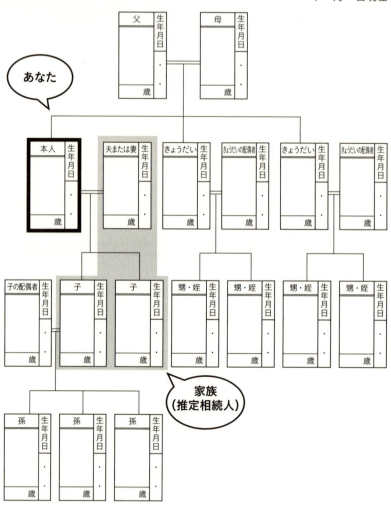

※上記の図に実際にあなたの家族を書き込んでみてください。
　枠が足りない場合は手書きで増やしてください。

4　推定相続人を確認する

　家族関係図が完成したら推定相続人を確認します。推定相続人とは、あなたが亡くなった時に相続人となる人のことです。2章3「財産を相続するのは誰？」を参考にして、「推定相続人となる人」「その人数」「推定相続人の法定相続分」を確認しましょう。

推定相続人の確認表

推定相続人		法定相続分
氏名	続柄	
合計		1

法定相続人の数	人

4-14 法定相続情報証明制度を知っておきましょう

　相続が発生した後に行なう手続ですが、とても便利な制度なので紹介します。

1　法定相続情報証明制度とは

　法定相続情報証明制度とは、法務局にて「法定相続情報一覧図」という書類の交付を受けることができる制度をいいます。

2　法定相続情報一覧図とは

　法定相続情報一覧図とは、相続人を証明する家族関係図のことです。申出人は、法務局で手続を行なうと登記官が認証文を付した法定相続情報一覧図の写しを受け取ることできます。この書類は、各種名義変更手続や相続税の申告などで使用することができます。

3　銀行では原本以外、書類を受けつけてくれない

　銀行などの金融機関で相続手続を行なう時には、相続手続3点セットが必要であると前述しました（55ページ）。この相続手続3点セットは、銀行にコピーを提出しても受けつけてくれません。なぜなら書類のコピーは偽造される可能性があるからです。ゆえに、銀行は必ず相続手続の依頼者から相続手続3点セットの原本をいったん受け取り、相続人を特定した後にコピーを取り、原本を依頼者に返却します。

　つまり、複数の銀行の相続手続を同時に行なうためには、相続手続3

点セットの原本を複数部用意する必要があります。これらの手間と費用を抑えるためにできたのが、法定相続情報証明制度です。

4 法定相続情報一覧図の取得方法

通常、相続人とその住所地を確定するためには、前述の相続手続3点セットのうち印鑑登録証明書を除く2点（以下「相続人情報資料」と呼ぶ）を用意する必要があります。

> **相続人情報資料**
> ①被相続人の出生から死亡までの戸籍謄本、相続人の戸籍謄本
> ②被相続人及び相続人の住民票または戸籍の附票

この相続人情報資料を1セット取得して、家族関係図とともに管轄法務局に提出し、法定相続情報一覧図の交付を申し出ます。

5 法定相続情報一覧図の効果

法定相続情報一覧図は、複数の相続人情報資料を取得したのと同じ効果があります。この法定相続情報一覧図を取得することにより複数の銀行の相続手続を同時に進めることができ、相続手続にかかる時間を短縮することができます。また、法定相続情報一覧図は法務局にて無料で交付してもらえるうえ、何枚でも交付を受けることができるので費用面からも効果的です。

6 印鑑登録証明書は別途必要

法定相続情報一覧図は、あくまで相続人を明らかにするための書類です。預金の名義変更に必要な遺産分割協議書や印鑑登録証明書は別途必要となるので注意が必要です。

4-15 法定相続情報一覧図の取得の流れ

法定相続情報一覧図を取得するために必要な手続の流れを説明します。

1　必要書類を用意する

申出書に添付する書類を用意します（かっこ内は取得場所です）。
①被相続人の出生から死亡までの戸籍謄本（本籍地の市区町村窓口）
②被相続人の住民票除票（住所地の市区町村窓口）※1
③相続人の戸籍謄本（各本籍地の市区町村窓口）
④相続人の住民票（各住所地の市区町村窓口）※2
⑤申出人の免許証、マイナンバーカードなどの本人確認書類
⑥返信用封筒及び切手 ※3

※1　②と④は戸籍の附票でも代用可能です。
※2　法定相続情報一覧図に相続人の住所を記載するかは任意ですが、住所は入れておいたほうが便利ですので④も取得しておきましょう。
※3　郵送により法定相続情報一覧図の交付を受ける場合には、⑥を用意します。

2　法定相続情報一覧図を作成する

被相続人と相続人との関係を明らかにする法定相続情報一覧図を作成します（記載例参照）。法務局のホームページに「主な法定相続情報一覧図の様式及び記載例」があります。このページからエクセルファイルをダウンロードすると、簡単に法定相続情報一覧図を作成することがで

きます。「法定相続情報　申出書」で検索し、法務局の「法定相続情報証明制度の具体的な手続について」というページをご確認ください。

3　法定相続情報一覧図の保管及び交付の申出書を作成する

「法定相続情報一覧図の保管及び交付の申出書」に必要事項を記載します。

　①被相続人の表示
　②申出人の表示
　③代理人の表示
　④利用目的
　⑤必要な写しの通数・交付方法
　⑥被相続人名義の不動産の有無
　⑦申出先登記所の種別

4　書類を提出する

「法定相続情報一覧図の保管及び交付の申出書」と1で取得した書類、2で作成した法定相続情報一覧図、これらすべてを下記のいずれかの場所の管轄法務局に提出します。直接書類を持ち込むほか、郵送により提出することもできます。

・被相続人の本籍地
・被相続人の最後の住所地
・申出人の住所地
・被相続人名義の不動産の所在地

5　法定相続情報一覧図を受け取る

法定相続情報一覧図の写しを受け取ります。申し出から法定相続情報

一覧図の交付を受けるまでに一週間程度かかります。余裕を持って手続きを進めるよう心がけましょう。

法定相続情報一覧図の記載例

被相続人　山田 太郎　法定相続情報

最後の住所
大阪府吹田市千里万博一丁目100番10号
最後の本籍
大阪府吹田市千里万博一丁目100番10号
出生　昭和25年10月1日
死亡　令和5年9月1日
（被相続人）
山田 太郎

被相続人の最後の住所、本籍地、生年月日、死亡年月日、氏名を書く

相続人の住所、生年月日、続柄、氏名を書く

住所　大阪府吹田市千里万博三丁目3番3号
出生　昭和50年4月1日
（長男）
山田 一郎　　（申出人）

住所　大阪府吹田市千里万博一丁目100番10号
出生　昭和27年6月1日
（妻）
山田 洋子

以下余白

申出人の住所、氏名を書く

作成日：令和5年12月1日
作成者：住所　大阪府吹田市千里万博三丁目3番3号
　　　　氏名　山田 一郎

4-16 「財産の把握」総仕上げ！財産一覧表を作成しましょう

　ここまで作成してきた種類別の財産一覧表をひとつにまとめて、財産一覧表を作成しましょう。

1　種類別財産一覧表から各種財産の合計金額を財産一覧表に記載する

　種類別の財産一覧表を用意します。そして種類別財産一覧表の合計金額を①～⑦に記載します。

①預金一覧表合計＋手元現金　⇒　現金預金
②有価証券一覧表合計　⇒　有価証券
③生命保険一覧表合計　⇒　生命保険
④不動産一覧表合計（土地：路線価方式＋倍率方式）　⇒　土地
⑤不動産一覧表合計（建物）　⇒　建物
⑥その他の財産一覧表合計　⇒　その他
⑦債務一覧表合計　⇒　負の財産総額

2　合計金額を計算する

　合計金額を計算します。
　すぐに換金できる財産＝①＋②＋③
　すぐに換金できない財産＝④＋⑤＋⑥
　正の財産総額＝すぐに換金できる財産＋すぐに換金できない財産
　財産総額＝正の財産総額－⑦

財産一覧表

(単位:円)

種類	金額	割合
①現金預金	18,000,000	28.1%
②有価証券	1,000,000	1.6%
③生命保険	12,000,000	18.8%
すぐに換金できる財産	31,000,000	48.5%
④土地	22,000,000	34.3%
⑤建物	8,000,000	12.5%
⑥その他	3,000,000	4.7%
すぐに換金できない財産	33,000,000	51.5%
正の財産総額	64,000,000	100.0%
負の財産総額（⑦債務）▲	1,000,000	―
財産総額	63,000,000	―

3　各種類の財産の割合を計算する

正の財産に占める各種類の財産の割合を計算します。

割合＝各種類の財産÷正の財産総額×100

4-17 財産一覧表から確認できることⅠ

財産の把握の最後に、「財産一覧表」から次のことを確認します。
① 相続税の申告は必要か
② 相続税はいくらになるのか
③ 家族は相続税を支払うことができるか
④ 遺産分割がしやすい財産状況か

以下の例に基づいて、まず、①と②を確認してみましょう。

例：相続人が配偶者と子1人、自宅は配偶者が相続する場合
財産一覧表

(単位：円)

種類	金額	割合
①現金預金	18,000,000	28.1%
②有価証券	1,000,000	1.6%
③生命保険	12,000,000	18.8%
すぐに換金できる財産	31,000,000	48.5%
④土地	22,000,000	34.3%
⑤建物	8,000,000	12.5%
⑥その他	3,000,000	4.7%
すぐに換金できない財産	33,000,000	51.5%
正の財産総額	64,000,000	100.0%
負の財産総額（⑦債務）▲	1,000,000	－
財産総額	63,000,000	－

1 相続税の申告は必要か

相続税の申告が必要かどうかは、財産総額が「基礎控除」を超えるか超えないかで判断します。

ただし、相続税の非課税財産（生命保険金など）が財産総額の中に含

まれている場合は、財産総額から引いて、基礎控除を超えるかどうかを確認します。

この財産総額から相続税の非課税財産を引いた金額を、「**相続税申告の判定金額**」と呼ぶこととします。

> 相続税申告の判定金額＝財産総額－非課税金額
>
> ■相続税申告の判定金額≦基礎控除の場合
> ⇒相続税の申告は必要ありません
> ■相続税申告の判定金額＞基礎控除の場合
> ⇒相続税の申告が必要です

例の財産一覧表から「相続税申告の判定金額」を計算してみましょう。

6,300万円（財産総額）－1,000万円（※1非課税金額）＝5,300万円（判定金額）

「相続税申告の判定金額」と「基礎控除」を比較して、相続税の申告が必要かどうかを確認します。

| 相続税申告の判定金額 5,300万円 | ＞ | ※2 基礎控除 4,200万円 | ⇒ | 相続税の申告は必要 |

※1非課税金額と※2基礎控除については、次項で説明します。

MEMO　相続税の特例を知ろう

相続税の計算では、「相続税の**非課税財産**」とは別に、「相続税の**特例**」（小規模宅地等の特例、配偶者の特例など）というものがあります。「相

財産一覧表

(単位：円)

種類	金額	割合
①現金預金	18,000,000	28.1%
②有価証券	1,000,000	1.6%
③生命保険	12,000,000	18.8%
すぐに換金できる財産	31,000,000	48.5%
④土地	22,000,000	34.3%
⑤建物	8,000,000	12.5%
⑥その他	3,000,000	4.7%
すぐに換金できない財産	33,000,000	51.5%
正の財産総額	64,000,000	100.0%
負の財産総額（⑦債務）▲	1,000,000	—
財産総額	63,000,000	
非課税金額　▲	10,000,000	
Ⅰ相続税申告の判定金額	53,000,000	
基礎控除　▲	42,000,000	

※1 非課税財産
500万円×2人

※2 基礎控除
3,000万円＋600万円×2人

**5,300万円 ＞ 4,200万円
相続税申告が必要！**

4章　自分の財産を把握しましょう

続税の特例」を受けるためには、**相続税の申告をすることが要件**となっており、**申告してはじめて特例の減額を受けられます。**

相続税の申告が必要かどうかの判定をする時には、相続税の特例による減額をする前の金額で、基礎控除を超えるかどうかを確認します。

> 相続税申告の判定金額は、
> 　　⇒相続税の非課税財産の控除後
> 　　⇒相続税の特例の控除前

2　相続税はいくらになるのか

相続税の概算額を計算してみましょう。

①「財産総額」から「相続税の非課税金額」「※3 小規模宅地等の特例」を差し引きます（小規模宅地等の特例については次項で説明します）。

　この財産総額から相続税の非課税財産、小規模宅地等の特例を引いた金額を、「相続税計算上の財産総額」と呼ぶこととします。

> 相続税計算上の財産総額　＝　財産総額　－
> 相続税の非課税財産　－　小規模宅地等の特例

②「相続税計算上の財産総額」から「基礎控除」を差し引きます。この相続税計算上の財産総額から基礎控除を引いた金額を「課税財産総額」と呼ぶこととします。

> 課税財産総額　＝　相続税計算上の財産総額　－　基礎控除

例の財産一覧表から「課税財産総額」を計算してみましょう。

財産一覧表

(単位:円)

種類	金額	割合
①現金預金	18,000,000	28.1%
②有価証券	1,000,000	1.6%
③生命保険	12,000,000	18.8%
すぐに換金できる財産	31,000,000	48.5%
④土地	22,000,000	34.3%
⑤建物	8,000,000	12.5%
⑥その他	3,000,000	4.7%
すぐに換金できない財産	33,000,000	51.5%
正の財産総額	64,000,000	100.0%
負の財産総額（⑦債務）▲	1,000,000	—
財産総額	63,000,000	—
非課税金額 ▲	10,000,000	
Ⅰ相続税申告の判定金額	53,000,000	
小規模宅地の評価減 ▲	9,600,000	
Ⅱ相続税計算上の財産総額	43,400,000	
基礎控除 ▲	42,000,000	
課税財産総額	1,400,000	

※3 小規模宅地等の特例（自宅用）
1,200万円×80％＝960万円
土地の面積80㎡＜330㎡
（限度面積）

6,300万円 － 1,000万円 － 960万円 － 4,200万円 ＝ 140万円
（財産総額）　（非課税金額）（小規模宅地等の特例）　（基礎控除）　（課税財産総額）

4章 自分の財産を把握しましょう

③ここから相続税額の計算に入ります。

「課税財産総額」を法定相続分で按分します。ここでは、実際の相続財産の取得割合ではなく、「法定相続分」により按分します。

相続税の速算表

取得金額	税率	控除額
1,000万円以下	10%	―
3,000万円以下	15%	50万円
5,000万円以下	20%	200万円
1億円以下	30%	700万円
2億円以下	40%	1,700万円
3億円以下	45%	2,700万円
6億円以下	50%	4,200万円
6億円超	55%	7,200万円

相続税の総額の計算表Ⅰ

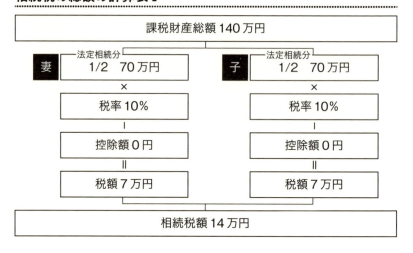

— 134 —

④相続税の速算表を使って、法定相続分による各相続人の税額を計算します。

⑤④の税額をすべて合計して「相続税額」を計算します。

⑥⑤の相続税額を各人の財産の取得割合で按分して、相続税負担額が決まります。これを「各相続人の相続税負担額」と呼ぶこととします。

```
各相続人の相続税負担額 ＝ 相続税額 × 取得割合
```

⑦配偶者の相続税負担額から「配偶者の税額軽減」を控除します。
※配偶者の税額軽減について詳細は、次項で説明します。

```
配偶者の相続税負担額 － 配偶者の税額軽減の金額
            ＝ 配偶者の相続税納税額
```

例：配偶者が全財産の50％を相続した場合
■相続税額
妻：7万円（相続税負担額）－7万円（配偶者の税額軽減の金額）＝0円
子：7万円（相続税負担額）
合計：0円＋7万円＝7万円（相続税納税額の合計額）

　補足説明として、
・配偶者が相続しなければ、相続税額は14万円
・配偶者がすべてを相続すれば、相続税額は0円
　となります。

相続税の総額の計算表Ⅱ

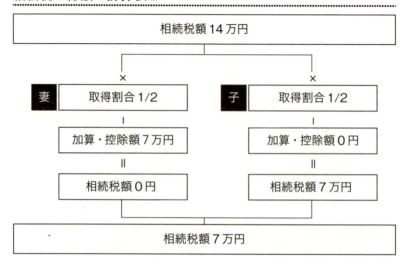

確認の結果

・相続税の申告は必要か
　⇒相続税の申告は必要である
・相続税はいくらになるのか
　⇒相続税は、最も高くて14万円かかる。かからない場合もある
・結果からわかったこと
　⇒相続税の申告は必要だが、相続税は怖れるほど高くなかった

4-18 相続税の計算で知っておきたい非課税・特例

相続税の計算では、非課税や特例があります。税額が低く抑えられるものも多いので、必ず押さえておきましょう。

1 相続税の非課税財産

原則として、すべての相続財産には相続税がかかりますが、例外として相続税がかからない相続財産が相続税法などに定められています。このような相続財産を「非課税財産」といいます。

主な相続税の非課税財産

非課税財産	内容
お墓など	お墓、墓地、仏壇、仏具などの費用
生命保険金	「500万円×法定相続人の数」までの金額
死亡退職金	「500万円×法定相続人の数」までの金額
弔慰金	業務上の死亡の場合→給与の3年分までの金額 業務上の死亡ではない場合→給与の半年分までの金額
寄付した相続財産	相続により取得した財産を、国や地方公共団体、特定の公益法人等へ寄付した金額

相続対策で最も利用されるのは、**「生命保険金の非課税」**です。生命保険金は、次の計算式の金額まで非課税となります。

> 非課税金額＝500万円×法定相続人の数

　非課税枠が使えるかどうかは生命保険の契約形態によります（5章6「生命保険を見直しましょう」参照）。非課税金額が保険金額を超えた場合には保険金額までが非課税です。

生命保険の非課税金額　早見表

法定相続人の数	非課税金額
1人	500万円
2人	1,000万円
3人	1,500万円
4人	2,000万円
5人	2,500万円
6人	3,000万円

2　基礎控除

　基礎控除とは、相続税の計算において、財産総額から控除することができる金額をいいます。
　基礎控除には、2つの役割があります。
1．相続税の申告が必要かどうかの判定金額という役割
2．「相続税計算上の財産総額」から控除するという役割

　基礎控除は、次の計算式の金額です。

> 基礎控除＝3,000万円＋600万円×法定相続人の数

基礎控除額　早見表

法定相続人の数	基礎控除額
1人	3,600万円
2人	4,200万円
3人	4,800万円
4人	5,400万円
5人	6,000万円
6人	6,600万円

法定相続人の数え方

原則的には民法上の相続人の数が法定相続人の数となりますが、以下の場合には、計算方法が異なるので注意が必要です。
● 「法定相続人の数」に含めることができる養子の数
　・被相続人に実子がいる場合には1人まで
　・被相続人に実子がいない場合には2人まで
● 相続の放棄があった場合には、その放棄がなかった場合における相続人の数で計算します。

法定相続人の数を使用する計算
　・生命保険金、退職手当金等の非課税限度額の計算
　・基礎控除の額の計算
　・相続税額の計算

3　小規模宅地等の特例

　小規模宅地等の特例は、土地の評価額が減額される特例です。
　小規模宅地等の特例には、「自宅用」「事業用」「賃貸用」があります。この特例を適用するためには、土地の「利用状況」「取得者」「限度面積」などいろいろな要件を満たす必要があります。

小規模宅地等の種類と適用要件

種類	対象者	限度面積	減額割合	適用要件
自宅用	①配偶者 ②同居の家族 ③一定の別居の家族	330㎡	80%	あなたの相続開始直前において、あなたが自宅に使用していた土地であること。この土地を相続する人が、①配偶者、②同居の家族、③一定の別居の家族（※）であること ①は要件なし ②は相続税の申告期限まで、この土地を持っていること、住んでいること ③は相続税の申告期限まで、この土地を持っていること
事業用	家族	400㎡	80%	あなたの相続開始直前において、あなたが事業に使用していた土地であること(賃貸事業を除く)。この土地を相続する人が、相続税の申告期限まで、事業を継続すること
賃貸用	家族	200㎡	50%	あなたの相続開始直前において、あなたが賃貸事業に使用していた土地であること。この土地を相続する人が、相続税の申告期限まで、賃貸事業を継続すること(賃貸マンション、貸駐車場など)

※③別居の家族がこの特例の適用を受けるには、
・①②の対象者がいないこと
・相続税の申告期限までこの土地を持っていること
・相続開始前3年以内に③別居の家族（またはその配偶者）が持ち家に住んでいなかったこと
以上のすべての要件を満たす必要があります。

不動産一覧表

土地　　　　　　　　　　　　　　　　　　　　　　2022年6月30日現在

①所在地	②地目	③利用状況	④路線価	⑤地積	⑥評価額	備考
大阪府吹田市千里万博一丁目100番10	宅地	自用地	150,000	80.00㎡	12,000,000	自宅
大阪府大阪市淀川区淀川一丁目2番3	宅地	自用地	200,000	50.00㎡	10,000,000	空家
合計					22,000,000	

上記の例で、小規模宅地等の特例の減額金額を計算してみましょう。

利用状況：あなたが自宅として利用している土地

相続後の取得者：配偶者

面積：80㎡

⇒　自宅用なので、減額割合80%が可能

1,200万円(自宅の評価額)×80%(減額割合)＝960万円(減額金額)

4　配偶者の税額軽減

　配偶者の税額軽減の特例は、配偶者の相続税負担額から配偶者が相続した金額に応じた配偶者の税額軽減の金額を差し引くことができる特例です。**配偶者が相続した金額が、「法定相続分まで」または「1億6000万円まで」であれば、配偶者に相続税はかかりません。**

例：

相続税計算上の相続財産	4,340万円
配偶者の相続財産の取得額(1/2)	2,170万円
相続人	2人(配偶者、子1人)
配偶者の法定相続分	1/2

　上記の例で、配偶者の税額軽減を判定してみましょう。
法定相続分 4,340万円×1/2 ＝ 2,170万円
配偶者の相続財産の取得額 2,170万円　＜　1億6,000万円
⇒　配偶者には相続税がかかりません

4-19 財産一覧表から確認できることⅡ

引き続き、以下の例に基づいて、財産一覧表から確認できることを見ていきましょう。

財産一覧表

(単位:円)

種類	金額	割合
①現金預金	18,000,000	28.1%
②有価証券	1,000,000	1.6%
③生命保険	12,000,000	18.8%
すぐに換金できる財産	31,000,000	48.5%
④土地	22,000,000	34.3%
⑤建物	8,000,000	12.5%
⑥その他	3,000,000	4.7%
すぐに換金できない財産	33,000,000	51.5%
正の財産総額	64,000,000	100.0%
負の財産総額（⑦債務）▲	1,000,000	－
財産総額	63,000,000	－
非課税金額　▲	10,000,000	
Ⅰ相続税申告の判定金額	53,000,000	
小規模宅地の評価減　▲	9,600,000	
Ⅱ相続税計算上の財産総額	43,400,000	
基礎控除　▲	42,000,000	
Ⅲ課税財産総額	1,400,000	
Ⅳ相続税額	140,000	

不動産一覧表

土地　　　　　　　　　　　　　　　　　　　　2022年6月30日現在

①所在地	②地目	③利用状況	④路線価	⑤地積	⑥評価額	備考
大阪府吹田市千里万博一丁目100番10	宅地	自用地	150,000	80.00㎡	12,000,000	自宅
大阪府大阪市淀川区淀川一丁目2番3	宅地	自用地	200,000	50.00㎡	10,000,000	空家
		合計			22,000,000	

1 家族は相続税を支払うことができるか

　今ある財産、つまり残された家族が相続した財産で、相続税を支払うことができるかどうかを確認します。

　あなたの財産の中の「すぐに換金できる財産」の金額が「Ⅳ相続税額」を超えるかどうかで判断します。

> **すぐに換金できる財産＝①現金預金＋②有価証券＋③生命保険**
>
> ■すぐに換金できる財産　≧　相続税額　＋　債務
> 　**問題なし**⇒相続税を一括で支払うことができます
> ■すぐに換金できる財産　＜　相続税額　＋　債務
> 　**問題あり**⇒相続税を一括で支払うことができません

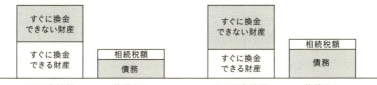

　例に基づいて、相続税を支払うことができるか確認してみましょう。

種類	金額
すぐに換金できる財産	3,100万円
相続税	最大14万円
相続税＋債務	114万円

・3,100万円（すぐに換金できる財産） ＞ 114万円（相続税＋債務）
　⇒現金預金だけでも相続税＋債務を支払うことができるので、相続税の納税資金は十分確保されている。

相続税は、原則として相続開始日から10ヶ月以内に「現金」で支払わなければなりません。 相続財産に占める「すぐに換金できない財産」の割合が高いと、家族は相続税の納付期限内に相続税を支払うことが難しくなります。

　また、「すぐに換金できる財産」で相続税・債務を支払うことができない場合には、家族は自分で相続税の納税資金を用意するか、あなたの不動産を売却して納税資金を確保する必要があります。不動産は、売却するのに最低でも数ヶ月はかかる上、売り急ぐと叩き売りとなってしまい、大きな損をしかねません。

2　遺産分割がしやすい財産状況か

　財産一覧表を確認して、遺産分割でトラブルが起こりやすい状況になっていないかどうかを確認します。

　あなたの財産を「すぐに換金できる財産」と「すぐに換金できない財産」に分けて、それぞれの財産の割合を確認しましょう。また、「相続人の数」や「所有している不動産の物件数」によってもトラブルが起こりやすい状況かどうか判断することができます。

「すぐに換金できる財産」：現金・預金、有価証券、生命保険
「すぐに換金できない財産」：土地、建物、その他の財産

	遺産分割の調整のしやすさ	換金性
現金預金	1円単位で遺産分割の調整ができる	もともと現金である
有価証券	1株、1口単位で遺産分割の調整ができる	市場を通じて比較的簡単に換金ができる
不動産	1筆、1棟単位でしか遺産分割の調整ができない	不動産会社を通じて換金できる。換金に時間がかかる
その他の財産	1台、1つ、1個単位で遺産分割ができる	専門家を通じて換金できる。換金に時間がかかる

■「すぐに換金できる財産」の割合が高い場合

【メリット】

・相続人間での遺産分割の調整がしやすくトラブルが起こりにくい。

・すぐに簡単に換金できるため、相続税が支払いやすい。

・財産の価値が把握しやすい。

【デメリット】

・換金性が高いほど相続税評価額は高くなるので、相続税が高くなる。

■「すぐに換金できない財産」の割合が高い場合

【メリット】

・換金性が低いほど相続税評価額は低くなるので、相続税が低くなる。

【デメリット】

・ひとつの財産の金額が大きい場合が多いので、相続人間での分割の調整が難しく家族間で相続トラブルが起こる可能性が高い。

・相続税を支払うために不動産を売却しなければならなくなる。

・財産を換金するのにお金と時間と手間がかかる。

　換金性の高い財産を持つことは「遺産分割対策」につながるのです。

コラム　自分の考えを伝えるのは、ことが起こってからにしましょう

【家族構成】
　　被相続人：父A
　　相続人：母B、娘C、娘D

　父Aと母Bのことは家が近いことから娘Cが面倒をみてきました。父Aに相続が発生した後も、娘Cは母Bを献身的に支えてきました。娘Dは家が遠く両親の面倒をあまりみることができなかったため、状況を察してか日頃から娘Dは「母にもしものことがあれば、財産はすべて姉が相続すればいい。私は放棄する（相続しない）」といっていました。
　しかし、予期せぬことが起こります。娘Cが病気で母Bより先に亡くなってしまったのです。その数年後に母Bも亡くなりました。母Bの相続人は、娘Dと娘Cの2人の子、この3人となりました。
　娘Dは、両親の面倒をみてくれた姉だからこそ、母の財産（母が相続した父の財産も）をすべて譲ろうと決めていましたが、相続人が甥や姪となったことで、その「譲りたい」という想いが次第に薄れてきました。一方、娘Cの夫や子たちは、娘Cと共に父Aと母Bを支えてきたという想いもあり、また娘Dの「私は放棄する」という言葉を何度も聞いていたので、当然に私たち家族がすべての財産を相続するものだと思っていました。
　後に両者からこのような事情があったことを聞きましたが、娘Dが、娘Cの家族に「法定相続分で相続しましょう」といった時のあの沈黙にはこのような意味があったのです。娘Dは申し訳ない気持ちがあったようですが、結局は法定相続分での相続となりました。私は娘Dに「まだ起こっていない未確定なことについて、先に自分の考えを伝えてしまうのは避けたほうがいいですよ」とだけ伝えました。

5章

財産を整理しましょう

2章	①最低限の相続の知識を得る
3章	②相続対策の準備をする
4章	③財産を「把握」する
5章	④財産を「整理」する
6章	⑤財産を「移転」する
7章	⑥家族にあなたの想いを伝える

5-01 財産を整理して、本当に必要な財産だけを残そう

4章で、実際に財産一覧表を作成してどのように感じられたでしょうか。「財産一覧表を作成するのが大変だった！」という方は、それだけたくさんの物を持っているということです。本章では、「あなたの財産」をひとつずつ整理してシンプル化をめざします。

1　なぜ財産を整理するのか

「財産の整理」の目的は、**あなたの財産をできる限りシンプルにする**ことです。財産のシンプル化は、次のような効果をもたらします。

①財産の把握がしやすく、管理も楽になる

あなたの財産がシンプルになることで、財産の種類、数量、総額などを簡単に把握できるようになります。財産を簡単に把握できるようになると、財産の管理がとても楽になります。

②本当に必要な財産だけを手元に残すことができる

財産を整理することで、本当に必要な財産は何か、見極めることができます。すると、現在の財産管理、将来の相続のことで頭を悩ませることがなくなり、これからの人生をすっきりと明るく過ごすことができるようになります。

③家族に喜ばれる

あなたが亡くなると、家族はあなたの財産を相続します。相続手続はとても面倒な上に時間がかかります。あなたの財産を整理しておくこと

で、家族は相続手続をスムーズに進めることができます。亡くなってから家族に喜んでもらっても仕方がないと思われるかもしれません。そこで、あなたが元気な間に財産を整理しておき、家族に「万が一の時のために、財産を整理しておいたよ」と伝えて、整理された財産の一覧表を見せて説明しましょう。家族はきっと喜んでくれるはずです。

2 財産の整理でやるべきこと

部屋を片づける時も同じですが、何かを整理をする時に最も重要なことは、「必要なもの」と「不要なもの」とに分けることです。しかし、物を片づける時と財産を片づける時の決定的に違う点は、**「誰にとって必要か不要かの判断」**です。相続対策における財産整理では、**「今、あなたにとって必要か？」**という視点だけでなく、**「将来、家族にとって必要か？」**という視点からも判断しなければなりません。**あなたにとって不要な財産であっても、家族にとって必要な財産であれば**、手元に残す価値はあるでしょう。

そして、不要な財産については、必要な財産となるよう、種類を変えていきます。

【財産整理の手順】
①必要な財産と不要な財産に分ける
②不要な財産については、換金したり必要な財産へと種類を変える
③預金口座や証券口座は、必要な口座を残してなるべく少なくする
④新たに必要な財産は、購入を検討する

3 不要な財産の判断の基準

世の中に「財産は必要ない」という人はどこにもいないと思いますが、不要な財産は存在します。いったいどのような財産を指すのでしょうか。

①**まったく利用していない財産**

　例えば、何年も取引がない預金口座や、一度も利用したことがないゴルフ会員権やリゾート会員権など、持っていても仕方がない財産です。

②**維持費がかかる財産**

　例えば、空家や更地を持っていると固定資産税がかかります。また敷地内に入られないようにフェンスをしたり、草木の手入れをしたりと、持っているだけで様々な維持費がかかってしまうような財産です。

③**相続後、家族に迷惑をかけてしまうような財産**

　例えば、あなたと他人が共有している不動産などは、相続する人にとって手間とストレスがかかる迷惑な財産となり得ます。

4　まずはできるところからはじめる

　そこでまずは、預金口座や証券口座を整理することからはじめましょう。生命保険は解約すると損をする場合も多いので、時間をかけて検討しましょう。不動産も、必要かどうかの判断や、売却に時間がかかるので、後回しにしてもよいですが、貸している不動産や他人と共有している不動産などがある場合には、相続時に家族に迷惑をかける可能性があるので、あなたが元気なうちに早めに取り組むことをおすすめします。

5　楽しみながらやりましょう

　「財産の整理」は、相続対策の中でも特に重要な項目です。簡単にできるものもあれば、手間がかかるものもあります。しかし、財産を一つひとつ整理していくと、徐々に自分の財産が片づき、すっきりしていくのを感じるでしょう。この、財産が整理されていく過程をぜひ楽しんでほしいと思います。そうすれば、きっと自分にとっても家族にとっても満足度の高い相続対策ができるでしょう。

財産整理のイメージ

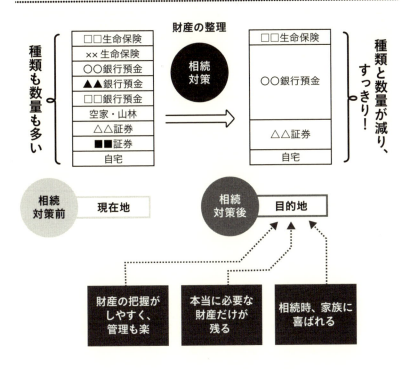

5-02 振替口座を一行に集約しましょう

　毎月発生する生活費（電気代、ガス代、水道代、電話代、月会費、保険料、マンション管理費など）を複数の金融機関からばらばらに口座振替をしていないでしょうか。預金口座を整理する前に自動振替による引き落とし口座を一行に集約しておきましょう。

1　振替口座を集約する効果

　4章でまとめた口座振替一覧表を用意します。電気代などの毎月の支出、クレジットカード利用による毎月の支払いが、どの預金口座から行なわれているか確認しましょう。
　振替口座を集約すると次のような効果があります。
・すべての生活費をひとつの預金口座から支払うことができ、生活費の支払状況を簡単に確認することができます。
・振替がなくなった預金口座を解約することができます。

2　どの預金口座に集約させるのかを決める

　集約先口座を決める時には、どの口座を残し、どの口座を解約するのかを考えますが、口座振替が多い預金口座に集中させると、手続の数も少なくて済みます。

3　口座振替先の会社に電話をして預金口座の変更を依頼する

　まず口座振替一覧表の「②会社名」を確認します。口座振替先の会社

（KS電力など）を確認できたら、次にその会社から毎月届く請求書や領収書などを確認します。この請求書や領収書に電話番号が記載されているので、そこに電話をかけます（ホームページから連絡先を確認することもできます）。電話先の担当者に「口座振替の預金口座を変更したいので、手続書類を送ってほしい」と伝えましょう。

4　手続書類に必要事項を記載して郵送する

口座振替先の会社から「口座振替依頼書」が届いたら、必要事項を記載して口座振替を希望する金融機関の印鑑を押します。書類が作成できたら、郵送で手続書類を返送します。書類が到着して約1ヶ月で「手続完了のお知らせ」が届きます。

口座振替一覧表【現状】

2022年6月30日現在

①項目	②会社名	③銀行名	④口座番号	⑤支払日	備考
水道代	吹田市	丹後銀行	1234567	毎月 10日	
電話代	NT電話	丹後銀行	1234567	毎月 15日	
電気代	KS電力	丹後銀行	1234567	毎月 末日	
ガス代	OSガス	丹後銀行	1234567	毎月 5日	
新聞代	夕日新聞	野辺山銀行	1122334	毎月 末日	
保険料	高山生命	五湖銀行	1010101	毎月 末日	
クレジットカード	サロマカード	四万十信金	3333333	毎月 10日	

振替口座がバラバラで把握も相続手続も面倒

口座振替一覧表【振替口座の集約後】

2022年8月31日現在

ひとつの口座に集約！

①項目	②会社名	③銀行名	④口座番号	⑤支払日	備考
水道代	吹田市	丹後銀行	1234567	毎月 10日	
電話代	NT電話	丹後銀行	1234567	毎月 15日	
電気代	KS電力	丹後銀行	1234567	毎月 末日	
ガス代	OSガス	丹後銀行	1234567	毎月 5日	
新聞代	夕日新聞	丹後銀行	1234567	毎月 末日	
保険料	高山生命	丹後銀行	1234567	毎月 末日	
クレジットカード	サロマカード	丹後銀行	1234567	毎月 10日	

5章　財産を整理しましょう

5-03 預金口座を整理しましょう

次は、預金口座を整理していきます。預金口座数が多いと、家族はあなたの預金口座の相続手続を何度も行なわなければならず、かなりの手間がかかることになります。自分自身の預金口座を解約するのは簡単です。家族のためにも、今のうちに預金口座を整理しておきましょう。

1 預金口座を整理する効果
・預金口座が少なくなり、預金口座の管理が楽になります。
・預金がシンプルになり、簡単に預金残高の確認ができます。

2 必要な預金口座と不要な預金口座に分ける

預金一覧表を用意します。預金口座を整理する上で最も簡単にできることは、まったく使っていない預金口座を解約することです。ほとんど動きがない預金口座については、すぐに解約手続をしましょう。

では、「残す預金口座」の基準は何でしょうか。
①公的年金等の入金や口座振替が多い預金口座
②ＡＴＭや店舗が自宅や会社の近くにあり、使いやすい預金口座

これらは優先して残します。整理することに力を入れるあまり、今まで頻繁に使用していた預金口座を解約し、日々の生活に支障をきたしてしまうようでは意味がありませんので、気をつけましょう。

3　使っていない預金口座を解約する

預金口座の解約は簡単です。手順は以下のとおりです。
①解約する預金口座の預金通帳、キャッシュカード、銀行印、身分証明書を用意します。
②預金口座がある銀行の支店に行き、口座を解約したい旨を伝えます。
③解約手続書類に必要事項を記載し、銀行印を押印します。
④キャッシュカードを返して、預金口座の解約手続は完了です。

この作業の前には前項の、生活費や定期購入している商品の振替口座でないことを必ず確認しましょう。

4　必要な預金口座数は？

必要な預金口座数は人それぞれですが、**預金口座を３つに絞ることができれば管理が楽になります**。また、預金口座数を相続人の数に絞るという方法もあります（231ページ参照）。

ペイオフ対策（ペイオフとは、金融機関が破綻した場合、1,000万円までの預金の払戻しを保証する制度）として、1,000万円未満の預金額にして、口座をたくさん持つ人がいます。銀行などの金融機関が絶対に破綻しないとは言い切れませんが、1,000万円を超える預金については、破綻する可能性が低い都市銀行に預けるなどの工夫でリスクを最小限にすることができます。やはり預金口座は、あまり細かく分けすぎないほうがよいでしょう。

預金一覧表【現状】

2022年6月30日現在

①銀行名	②支店名	③種類	④口座番号	⑤残高	備考
丹後銀行	千里	普通	1234567	5,000,000	
丹後銀行	千里	定期	7654321	3,000,000	
野辺山銀行	万博	普通	1122334	3,000,000	
五湖銀行	山田	普通	1010101	2,000,000	
高野山銀行	山田	普通	2222222	1,000,000	
四万十信用金庫	吹田	普通	3333333	1,000,000	
合計				15,000,000	

口座数が多い…

預金一覧表【預金口座の整理後】

2022年8月31日現在

①銀行名	②支店名	③種類	④口座番号	⑤残高	備考
丹後銀行	千里	普通	1234567	9,000,000	
丹後銀行	千里	定期	7654321	3,000,000	
野辺山銀行	万博	普通	1122334	3,000,000	
合計				15,000,000	

口座数を減らしてシンプルに！

5-04 証券会社の口座を整理しましょう

証券口座の相続手続では、有価証券(株式や投資信託など)を相続する家族(相続人)は、あなた(被相続人)と同じ証券会社に口座を開設しなければなりません。その分の手間がかかる相続手続といえます。家族の手間を減らすためにも、自分で口座を整理しておきましょう。

1 家族が口座開設する手間を省こう

相続が発生した時、証券会社は自分の会社の口座にしか商品を移管してくれません。つまり、家族があなたと同じ証券会社の口座を持っていなければ、相続を機に新たに証券口座を開設しなければなりません。

たとえ家族が、有価証券を相続したらすぐに売却すると決めていたとしてもです。

あなたが証券口座を2つ持っていたら、家族の手間は2倍となります。このような手間を極力減らすために、あなたが証券口座を2つ以上持っているならば、今のうちに証券口座を整理しておきましょう。

2 証券口座を整理する効果

・ひとつの証券口座ですべての有価証券を管理することができます。
・相続手続の時に、家族が新規の証券口座を複数開設しなければならないという手間が起きません。

3　必要な証券口座と不要な証券口座に分けてみる

4章で作成した有価証券一覧表を用意します。各銘柄がどの証券口座で保管されているかを確認しましょう。

自分にとってこの証券口座が必要なのか不要なのかを考えます。そして、「残す口座」と「解約する口座」に分けます。その判断基準としては以下のものが考えられます。

①証券口座内に銘柄が多い、取引数が多い証券会社
②店舗が自宅から近く、便利な証券会社
③営業担当者が信頼できる、懇意にしている証券会社

「解約する口座」内にある有価証券は、売却するか「残す口座」に移管して、ひとつの口座に集約していきます。

4　有価証券を整理する

①売却する

売却により有価証券を整理する場合には、証券会社の担当者に電話をするかインターネットで売り注文を出して、有価証券の売却手続を行ないます。

②移管する

移管により有価証券を整理する場合には、証券会社に電話し、「証券口座内にある有価証券を他の証券会社の口座へ移管したい」と伝えます。

証券会社から「口座振替依頼書」などが郵送されてきます。これらの書類に必要事項を記載して証券会社へ返送しましょう。なお、移管には手数料がかかる場合があります。

5　証券口座を解約する

　売却や移管が完了したら、証券口座内に株式などや預金残がないことを確認し、証券口座を解約します。証券会社に電話をして、「証券口座を解約したい」と伝えると、証券会社から「取引口座解約届出書」などが郵送されてきます。この書類に必要事項を記載して証券会社に返送します（「取引口座解約届出書」は、証券会社のホームページで取得できる場合もあります）。

　書類が到着して1週間程度で証券口座の解約手続が完了します。

有価証券一覧表【現状】

（日光）証券　　　　　　　　　　　　　2022年6月30日現在

①銘柄名	②種類	③数量	④評価額	備考
日光MRF	投資信託	35,400	35,400	
白山商事	上場株式	200	664,600	
	日光証券 合計		700,000	

（柴又）証券

①銘柄名	②種類	③数量	④評価額	備考
白川物産	上場株式	100	300,000 ←売却もしくは移管	
	柴又証券 合計		300,000	

| | 合計 | | 1,000,000 | |

有価証券一覧表【有価証券の集約後】

（日光）証券　　　　　　　　　　　　　　2022年8月31日現在

①銘柄名	②種類	③数量	④評価額	備考
日光MRF	投資信託	35,400	35,400	
白山商事	上場株式	200	664,600	
白川物産	上場株式	100	300,000	移管
	日光証券 合計		1,000,000	

（柴又）証券

①銘柄名	②種類	③数量	④評価額	備考
		解約！		
	柴又証券 合計			

| | 合計 | | 1,000,000 | |

05 不動産を整理しましょう

　不動産は、遺産分割をするのがとても難しい財産です。「ひとつの単位が大きいこと」「売ってみないと本当の価値（時価）がわからないこと」「人によって価値の捉え方が異なること」などがその理由です。
　「先祖代々の土地は手放しにくい」「幼少期に住んでいた家で思い入れがある」などの理由でなかなか手放せない不動産もあると思いますが、もし空家となっているのであれば、固定資産税などの維持費はばかになりません。
　あなたにとっても、家族にとっても、必要がない不動産があるのであれば、あなたが元気なうちに、不動産を整理しておきましょう。

1　不動産を整理する効果

・不動産を現金化することで、不動産の本当の価値が明らかになり、より自分の財産が把握しやすくなります。
・1円単位まで調整が可能となるため、家族が遺産分割を円滑に進めることができるようになります。

　ただひとつ注意点として、財産が「不動産」から「現金」に変わるため、一般的には相続税は高くなるというデメリットもあります（※）。それでも、上記の効果と固定資産税などの維持費がかからなくなる点を考慮すれば、不動産を整理するメリットは大きいでしょう。
※不動産の相続税評価額は、時価（取引価格）より低くなるように設定されているため

2　家族に必要な不動産かどうかを判断する

　不動産一覧表を確認し、あなたが所有する不動産が将来、家族にとって必要かどうかを調べましょう。例えば、あなたの配偶者は、今は住んでいない住居でも、将来住みたいと考えているかもしれません。また、あなたの子は、将来この土地に自分が起業した時の事務所を建てようと思っているかもしれません。そう、何を考えているかわからないからこそ、**家族の意向を聞いておく必要がある**のです。

　そして、残す必要がある不動産については、どのような形で残すべきか考えてみましょう。残す必要のない不動産があれば、売却して現金化し財産をシンプルにすることで、相続税は上がってしまいますが、「家族が揉めない」相続対策に近づいていくことでしょう。

3　よい不動産会社を選ぶ方法

　売却が決まったら、不動産会社に依頼しましょう。不動産を売却する時に、「大手の不動産会社がよいのか、中小規模の地域の不動産会社がよいのか」とよく質問されます。私はいつも**「規模や地域よりも人で判断するほうがよい」**と答えています。

　大手であっても中小であっても、社員教育が行き届いておらず、お客様のことを考えずに売り急がせる会社もあれば、接客が丁寧で親身になって売却を進めてくれる会社もあります。担当者レベルでも「ただ成績が上げられたらよい」と思っている人もいれば、「できるだけお客様に寄り添って悩み事を解消してあげたい」と考えている人もいます。

　そこで、よい不動産会社かどうかを見抜くために、こう切り出してみることをおすすめします。**「現在相続対策を行なっていて、自分の不動産の価値を知っておきたいので、今すぐには売却を予定していないのですが、査定してもらえますか？」**。このように不動産会社にはっきりと

伝えて相手の出方を見るという方法です。

　もし、これで断ってくるような不動産会社であれば頼まないほうがよいでしょう。目先の利益にはならないお客様に対しても丁寧な対応をしてくれる担当者（会社）であれば、あなたとあなたの不動産を誠実に丁寧に扱ってくれるでしょう。

　一生に一度あるかないかの大きな売り物ですので、適当に決めてしまうのではなく慎重に不動産会社を選びましょう。

4　不動産売却時の注意点

　不動産を売却する時には、**「譲渡所得」**について事前に押さえておく必要があります。譲渡所得とは、土地や家を売却した際に生じる所得のことです。そこには、所得税と住民税が課税されます。

> 譲渡所得＝売却金額－（取得費※＋売却時費用）

> 税額＝譲渡所得×税率（所得税・住民税）

※不動産（土地・建物）の購入代金と取得に要した費用を合計した金額から、建物の減価償却費を差し引いた金額のこと

　譲渡所得の計算では、売却金額から引くことができる取得費、つまり売却不動産の「購入時の金額」がわかるかどうかがとても重要となります。特に相続により不動産を取得した場合には、**被相続人がこの不動産を購入した時の金額**で取得費を計算します。つまり、あなたが購入した不動産の売買契約書は、将来相続した家族が利用することとなりますので、わかりやすい場所に置き、大切に保管するようにしましょう。

不動産一覧表【現状】

土地　　　　　　　　　　　　　　　　　　　2022年6月30日現在

①所在地	②地目	③利用状況	④路線価	⑤地積	⑥評価額	備考
大阪府吹田市千里万博一丁目100番10	宅地	自用地	150,000	80.00㎡	12,000,000	自宅
大阪府大阪市淀川区淀川一丁目2番3	宅地	自用地	200,000	50.00㎡	10,000,000	空家
合計					22,000,000	

建物　　　　　　　　　　　　　　　　　　　2022年6月30日現在

①所在地	②利用状況	③固定資産税評価額	⑤評価額	備考
大阪府吹田市千里万博一丁目100番地10	自用家屋	5,000,000	5,000,000	自宅
大阪府大阪市淀川区淀川一丁目2番地3	自用家屋	3,000,000	3,000,000	空家
合計			8,000,000	

空家を売却する

不動産一覧表【整理後】

土地　　　　　　　　　　　　　　　　　　　2022年8月31日現在

①所在地	②地目	③利用状況	④路線価	⑤地積	⑥評価額	備考
大阪府吹田市千里万博一丁目100番10	宅地	自用地	150,000	80.00㎡	12,000,000	自宅
合計					12,000,000	

建物　　　　　　　　　　　　　　　　　　　2022年8月31日現在

①所在地	②利用状況	③固定資産税評価額	⑤評価額	備考
大阪府吹田市千里万博一丁目100番10	自用家屋	5,000,000	5,000,000	自宅
合計			5,000,000	

土地と建物の固定資産税と維持費がなくなる

5　自宅は「生前」に売却すべきか「死後」に売却すべきか

　自宅を「生前」に自分で売却するほうがよいのか、「死後」に家族が売却するほうがよいのか、よくご相談を受けます。

　生前であれば、不動産を売却するあなたにとっては**「自宅の売却」であるため、税制の特例を受けることができ、所得税・住民税を低く抑えることができます**。しかし、不動産を売却したことにより手にした現金を家族が相続した場合、不動産の相続税評価額よりも高くなることのほうが多いため、**相続税は高くなってしまいます**。

　亡くなった後であれば、家族は不動産で相続することになります。現金で相続するよりも不動産の相続税評価額のほうが低いため、相続税は低くなります。しかし、**相続した家族がその住居に住まない場合には、不動産を売却する家族にとっては「セカンドハウス（贅沢品）の売却」であるため、税制の特例を受けることができず、所得税・住民税は高くなってしまいます**。

　このように、「誰が売却するのか」「いつ売却するのか」は、あなたの財産の状況、自宅の状況、家族構成などにより、税金は高くもなり低くもなります。税金計算上どちらが有利になるのかは実際に計算してみなければわからないのです。

　自宅を売却する場合には、あなたが生前に売却した場合の相続税と所得税・住民税、あなたの死後に家族が売却した場合の相続税と所得税・住民税をそれぞれ計算してから、売却する時期を判断しましょう。

5-06 生命保険を見直しましょう

生命保険をうまく利用すれば、相続対策の効果がぐんと上がります。しかし、ご相談に来られる方の保険契約を確認させていただくと、相続対策において生命保険を上手に利用されている方はごくわずかです。加入している生命保険が相続対策に有効かどうかを確認し、生命保険を見直してみましょう。

1　生命保険を見直す前に必ず現状の財産を把握する

相続対策を目的として生命保険を見直す場合には、現状の財産を正しく把握しておく必要があります。相続税の申告は必要か、相続税はいくらになるのか、遺産分割がしやすい財産状況かなどを先に確認しておきましょう。例えば、相続税の申告が必要ないのに、相続税対策としての生命保険に加入してもまったく意味がないようにです。

2　相続対策に有効な保険と有効ではない保険に分けてみる

生命保険一覧表を用意しましょう。一覧表から現在契約している生命保険が、相続対策に必要かどうかを判断します。相続対策に効果がある保険と効果がない保険に分けてみましょう。

【相続対策に有効な生命保険の判断基準】

相続対策に有効な保険とは、次の①〜④のような保険です。

①**あなたが死亡した時に受け取ることができる生命保険**

　生命保険はあなたが亡くなった時に、すぐに確実に特定の家族にお金を残すことができるというのがメリットです。つまり、家族が保険金を受け取れないような保険契約は、相続対策には向いていません。

　例えば、「契約者：あなた、被保険者：配偶者、受取人：あなた」の場合、被保険者が配偶者であるため、あなたが亡くなっても、家族は保険金を受け取ることはできません。

　保険の形態は、「**契約者：あなた、被保険者：あなた、受取人：家族**」となるように契約する必要があります。

②**一生涯保障される生命保険**

　相続対策の中で必要な生命保険は、**あなたが亡くなった時に、お金を受け取ることができる保険**です。つまり、定期保険や養老保険のように保険期間に期限があり、一定期間しか保障されない保険契約は、相続対策には向いていません。相続対策のために生命保険に加入される時には、必ず**終身保険**を選びましょう。

生命保険の種類

	定期保険	養老保険	終身保険
保障期間	一定期間	一定期間	一生涯
死亡保障	あり	あり	あり
満期保険金	なし	あり	なし
保険料	安い	高い	やや高い
メリット	安い保険料で大きな保障が得られる	貯蓄性がとても高い	一生涯の保障がある 貯蓄性が高い
デメリット	掛け捨てである 一定期間しか保障されない	保険料がとても高い 一定期間しか保障されない	保険料がやや高い

③相続税の非課税枠を利用することができる生命保険

　生命保険金のうち一定の金額は、相続税の非課税財産となります。この「相続税の非課税枠」を利用することができる生命保険を残しましょう。

　生命保険は、「保険料負担者」「被保険者」「受取人」によってかかる税金の種類が異なります。相続税が非課税となるのは、相続税の課税対象となる以下のような生命保険でなければなりません。

> **保険料負担者：あなた、被保険者：あなた、受取人：家族**

　また、生命保険金の**非課税限度額は「500万円×法定相続人の数」**です。相続税対策として加入する場合の保険の金額は非課税限度額までで十分です。もしこの額を下回る場合には、非課税限度額まで加入するこ

生命保険の課税関係

保険料負担者と被保険者が同じ場合

保険料負担者	被保険者	受取人	税金の種類
あなた	あなた	配偶者（子）	相続税

＞相続税の場合のみ非課税枠あり！

保険料負担者と受取人が同じ場合

保険料負担者	被保険者	受取人	税金の種類
配偶者（子）	あなた	配偶者（子）	所得税（住民税）
あなた	配偶者（子）	あなた	

保険料負担者、被保険者、受取人がすべて異なる場合

保険料負担者	被保険者	受取人	税金の種類
あなた	配偶者	子	贈与税

とを検討しましょう。

> **生命保険金の非課税限度額＝ 500 万円×法定相続人の数**

　税金の計算上は、契約者が誰であっても**保険料を負担した者（保険料負担者）**によって**課税関係を判断します**。契約者と保険料負担者が異なると税金上のトラブルが生じやすいので、契約者と保険料負担者は必ず一致させるようにしましょう。

④受取人が指定されている生命保険

　受取人が「契約者の相続人」となっているような生命保険や、保険金の受取人が２名以上となっているような生命保険は、相続対策において、生命保険の効果を活かせているとはいえません。

　例えば、保険金の受取人が、**長男50％、次男50％**と割合で指定されている場合です。この時に注意すべきことは、保険金の請求手続時のトラブルです。保険金の請求手続では、受取人全員の印鑑登録証明書などを用意する必要があります。これら書類が揃わなければいつまでも保険金を受け取ることはできません。

　また、２名以上が受取人となっている保険金は、通常、代表者が保険金を請求し、代表者の口座に振り込まれるため、保険金の精算が家族間でうまくいかない場合があります。

　このようなトラブルを避けるためには、１本の保険契約で複数の受取人を指定するのではなく、相続人の数だけ生命保険を契約し、受取人を各契約１名ずつとするほうが、受取人各自が保険請求手続を行なうことができるため、スムーズに保険金を受け取ることができます。

　以上①～④を確認して、改めて、相続対策以外の目的で必要な保険か

どうかを確認しましょう。そして必要がない保険契約があれば解約することも検討しましょう。解約する際には、払込金額と受取金額の差を見て、損をしないようにも気をつけましょう。

生命保険一覧表【現状】

2022年6月30日現在

①会社名	②種類	③番号	④契約者	⑤被保険者	⑥受取人	⑦保険金額	備考
高山生命	終身保険	222-222222	山田 太郎	山田 太郎	山田 一郎	10,000,000	
飛騨生命	終身保険	333-333333	山田 太郎	山田 太郎	山田 洋子	2,000,000	
			合計			12,000,000	

必要な保険と不要な保険に分ける

生命保険一覧表【整理後】

2022年8月31日現在

①会社名	②種類	③番号	④契約者	⑤被保険者	⑥受取人	⑦保険金額	備考
高山生命	終身保険	222-222222	山田 太郎	山田 太郎	山田 一郎	10,000,000	
			合計			10,000,000	

必要ないと判断したら解約する

5-07 その他の財産を整理しましょう

　最後に、その他の財産を整理しましょう。その他の財産には、自動車やゴルフ会員権、貴金属や書画・骨董など、あなたの趣味や好みにまつわる財産があるでしょう。つまり、あなたにとっては必要だと感じるものばかりです。しかし、家族にとっても必要かと聞かれればそうとも限りません。では、どのように整理していくか考えましょう。

1　その他の財産を整理する効果

- その他の財産は、評価額を計算するのが難しい場合が多いので、現金化することにより、現状の財産がより明確に把握できるようになります。
- 銀行や証券会社などの相続手続よりも、その他の財産は相続時の手続先がわかりにくいため、相続発生時の家族の負担を軽くすることができます。

2　必要か不要かの判断基準

　必要か不要かの判断は難しいですが、以下の基準で判断しましょう。
①あなたにとって大切なものかどうか
②あなたが今使っているものかどうか
③家族にとっても必要なものかどうか

　最も優先順位が高いのは①です。あなたが大切だと思っているものは、整理する必要はありません。あなたが大切だと思っていないものでも、あなたが今使っているものについては、必要なので整理してはいけませ

ん。あなたが大切だと思っておらず、かつ使っていないものについては、家族にとって必要かどうかを考え判断すればよいでしょう。

3 その他の財産一覧表を用意して必要な財産と不要な財産に分ける

その他の財産一覧表を用意します。そして、必要な財産と不要な財産に分けましょう。

そして、必要のない財産は売却を考えましょう。その他の財産の売却先は様々です。自動車であれば、ディーラーや中古車販売業者へ売却したい旨を伝えます。ゴルフ会員権であれば、売買仲介会社へ、貴金属や書画・骨董は古美術商などに買い取りを依頼します。

その他の財産一覧表【現状】

2022年6月30日現在

①商品名	②購入先	③購入金額	④評価額	備考
自動車	隠岐自動車	3,000,000	1,500,000	
ゴルフ会員権	屋久島ゴルフ倶楽部	2,000,000	1,000,000	
貸付金	山田 一郎		500,000	
合計			3,000,000	

ゴルフ会員権を売却

↓

その他の財産一覧表【整理後】

2022年8月31日現在

①商品名	②購入先	③購入金額	④評価額	備考
自動車	隠岐自動車	3,000,000	1,500,000	
貸付金	山田 一郎		500,000	
合計			2,000,000	

ゴルフ会員権がなくなり、現在の財産が見えます

5-08 クレジットカードも整理しましょう

クレジットカードは財産ではありませんが、相続時に家族が行なう解約手続を少しでも減らすために整理しましょう。

1 クレジットカードを整理する効果

・一元管理することで生活費の支払状況が簡単に確認できます。
・カード管理が楽になり、気持ちが軽くなります。
・家族の解約手続の手間を少なくすることができます。

2 クレジットカードを一覧表にまとめる

あなたが持っているすべてのクレジットカードを用意します。クレジットカードの表面には、カード名、16桁のカード番号（14桁、15桁のカードもある）、カードの有効期限が記載されています。裏面には、カード会社が記載されています。これらの情報を「クレジットカード一覧表」の①〜④に書き込みましょう。

①カード名　②会社名　③カード番号　④有効期限

暗証番号やセキュリティコードは記載しないようにしましょう。

クレジットカード一覧表

2022年6月30日現在

①カード名	②会社名	③カード番号	④有効期限	備考
サロマカード	サロマ株式会社	1111-2222-3333-4444	10/24	
野辺山カード	野辺山株式会社	5555-6666-7777-8888	12/25	
宮古島カード	宮古島株式会社	2222-4444-6666-8888	05/24	

3　クレジットカードによる支払いを一覧表にまとめる

　クレジットカードの利用明細書を用意します。この利用明細書を確認して、クレジットカードにより毎月自動支払いとなっている生活費（電気代、ガス代、水道代、電話代、新聞代など）を書き出します。書き出した情報を「クレジットカード払い一覧表」の①～④に書き込みます。

①項目　②会社名　③カード会社名　④支払日

クレジットカード払い一覧表【集約前】

2022年6月30日現在

①項目	②会社名	③カード会社名	④支払日	備考
水道代	吹田市	サロマカード	毎月10日	
電話代	NT電話	サロマカード	毎月10日	
電気代	KS電力	サロマカード	毎月10日	
ガス代	OSガス	野辺山カード	毎月20日	
新聞代	夕日新聞	宮古島カード	毎月25日	

4　生活費の自動支払いをひとつのクレジットカードに集約する

　クレジットカードにより毎月自動支払いとなっている生活費をひとつのクレジットカードに集約します。5章2「振替口座を一行に集約しましょう」と同じ方法で進めていきましょう。クレジットカード払いから口座振替へ変更することも可能です。

5　クレジットカードを整理する

　相続時に家族の手続を減らすために、今のうちにクレジットカードを整理しておきましょう。

①必要なカードと不要なカードに分ける

　クレジットカード一覧表を確認して、「必要なカード」と「不要なカード」に分けていきます。**普段使用していないカードやおつき合いで加入**

したカードなどは「**不要なカード**」の代表例です。

②クレジットカード会社に連絡して不要なカードを解約する

クレジットカード裏面に記載されている連絡先に電話し、クレジットカードを解約したいことを伝えます。そして、担当者の指示に従い解約手続を進めます。**ほとんどの場合、この電話一本で解約手続を行なうことができます。**

一度解約すると、再度同じクレジットカードをつくるためには、新規入会と同じ手続が必要です。必ず審査に通るとは限りませんので、不要かどうかはよく考えて判断するようにしましょう。

クレジットカード一覧表【現状】

2022年6月30日現在

①カード名	②会社名	③カード番号	④有効期限	備考
サロマカード	サロマ株式会社	1111-2222-3333-4444	10/24	
野辺山カード	野辺山株式会社	5555-6666-7777-8888	12/25	
宮古島カード	宮古島株式会社	2222-4444-6666-8888	05/24	

必要なカードと不要なカードに分ける

クレジットカード一覧表【整理後】

2022年8月31日現在

①カード名	②会社名	③カード番号	④有効期限	備考
サロマカード	サロマ株式会社	1111-2222-3333-4444	10/24	

カードの枚数が減り、管理も楽

コラム　インターネット社会が相続人を苦しめる

　私のお客様でも、私と年齢が近い40代の現役世代の方が被相続人というケースが出はじめました。すると、ご高齢の方が亡くなった時とはまた違う大変さがあることがわかったのです。

　例えば、現役世代の方は、だいたいクレジットカードを2〜5枚ほど所持し、使用しています。このカードの解約手続と支払方法の変更手続に、相続された方が苦労しています。銀行預金とは違って、手続の相手先が見えにくいことがその理由です。

　そして、それよりもさらに大変なのは、インターネット会員（有料サービスの○○プレミアム会員とか□□プライム会員など）の解約手続です。

　具体的な例として、残された妻は夫がどのようなインターネットサービスを契約しているかを知りません。もちろんパスワードも知っているはずがありません。クレジットカードの利用明細書を見て、初めてそのサービスを契約していたことを知るのです。次に、そのサービスを解約しようと思っても、どこに連絡したらよいかがわかりません。ホームページに電話番号が記載されていないことがほとんどなのです。

　メールしかその会社との連絡手段を見つけられないため、仕方なくメールで解約依頼をしますが、タイムリーには進みません。相続手続なのでいくつもの書類が必要になります。そして極めつけは、この解約手続が完了するまで、利用料がかかってしまうことです。

　インターネット社会においては、形がないもの、形が見えないものほど手続に手間がかかると思ってください。家族にこのような思いをさせないためにも、自分で身の回りのものを整理していきましょう。

6章

財産を移転しましょう

2章	①最低限の相続の知識を得る
3章	②相続対策の準備をする
4章	③財産を「把握」する
5章	④財産を「整理」する
6章	⑤財産を「移転」する
7章	⑥家族にあなたの想いを伝える

01 家族に財産を移転する相続対策の有効な手法

　5章では、あなたの財産の「整理」を行ないました。あなたの財産を「必要なもの」と「不要なもの」に分け、不要なものについては、移管や解約をしてひとつにまとめたり、売却により現金に換えたりして財産のシンプル化を進めました。そして本章では、この整理された財産の状況を確認しながら、あなたの財産を家族に譲る方法を考えていきたいと思います。

1　財産の移転とは

　ここでいう財産の移転とは、「自分の財産を誰に相続させるか」を決めて、家族に移転していく一つひとつの行動を指します。

・あなたの財産を生前に家族に譲ることで、「あなたの財産」を「家族の財産」とする
・あなたが生きている間に、「あなたの財産」を誰に相続させるのかを決めておくこと　など

2　なぜ財産を移転するのか

　財産移転の目的は、家族間のトラブルを防ぐ「遺産分割対策」と節税効果を狙った「相続税対策」です。
　あなたの財産を確実に特定の家族に移転させることで、家族間のトラブルを未然に防ぐことができます。また、あなたの財産を生前に家族に

譲ることができれば、相続税の節税効果が期待できます。

3　財産の移転でやるべきこと

財産の移転では、具体的には次の3つの方法を利用します。

①生命保険に加入する

　保険金の受取人が確実に現金を受け取れる　⇒　遺産分割対策

　相続税の非課税枠を活用する　⇒　相続税対策

②生前贈与を実行する

　生前にあなたの財産を譲る　⇒　遺産分割対策

> 注意：この場合、家族の1人だけに生前贈与を行なうと、この贈与が特別受益とされてしまう場合があります。特別受益とは、ある相続人が特別に被相続人から受けている利益をいいます。特別受益を受けた相続人は、自分の相続分から特別受益分を控除して、財産を相続することになります。

　贈与により、贈与税0円または相続税より少ない贈与税であなたの財産を家族に移転することができる　⇒　相続税対策

③遺言書を作成する

　あなたの財産を誰に相続させるかを生前に決めておくことができる。遺留分を侵害しない限り、遺言書に記載された内容のとおりに確実に相続させたい人に相続させることができる　⇒　遺産分割対策

4　財産の移転はこの順番で進めましょう

　財産の移転の優先順位は、**単純で、簡単で、効果がはっきりわかるもの**からはじめていきます。

　まずは、「生命保険」を検討することからはじめましょう。相続対策としての効果が高い上に、保険商品を選んで加入するだけなので実行するのも簡単です。

　次に、「生前贈与」を検討しましょう。進め方には注意が必要ですが、現金の贈与であれば簡単に進めることができます。1年間に110万円以下の贈与であれば贈与税がかからずに財産が移転できるため、相続税対策としての効果も期待できます。

　最後に、「遺言書」を検討します。相続税の節税効果はありませんが、遺留分を侵害するような遺言書を作成しない限り、あなたが遺言書に記したとおりに財産を相続させることができます。

「財産の移転」の行動フロー

この順番で
進めましょう！

※②現金贈与は、③遺言書を作成
　した後も、継続して行なうとより
　効果的です

5　財産移転の注意点

①現状の財産を把握してから行なう

　財産の移転は、必ず現状の財産を把握してから行ないましょう。相続税の申告は必要か、相続税はいくらになるか、財産の中に生命保険や生前贈与に使えるお金はいくらあるのかなど、**財産の状況を把握しておか**

なければ、**財産の移転が必要かどうかを判断することはできません。**
　財産の移転は、相続対策としての効果が高い反面、一度実行してしまうと、**元には戻れないこと、元に戻すと損をすることが多い**ので、必ず財産の状況を確認した上で慎重に行ないましょう。

②余裕資金の範囲内で行なう

　財産の移転は、必ず余裕資金の範囲内で行ないましょう。生命保険や生前贈与は一度に大きなお金を支払います。あなたにどうしてもお金が必要になった時に、手元にお金がなければ、生命保険を解約したり、受贈者にお金を返すようお願いしなければならなくなってしまいます。生命保険は契約後すぐに解約すれば、損をする上に相続対策の効果もなくなってしまいます。生命保険や生前贈与は必ず余裕資金で行なうようにしましょう。

(NG例)
相続税対策になると保険会社にすすめられ、一時払い終身保険に加入した。
⇒財産を確認すると、相続税の申告は必要ないことがわかった。

相続税対策になるとの噂を聞き、子に生前贈与を行なった。
⇒手元の現金が少なくなってしまったので、返すようお願いしたが、すでに孫の学費に使ってしまっていた。

6　財産の移転はこんな使い方が効果的です

　生前贈与や生命保険の相談を受ける時、「将来のためにどれだけのお金を残しておけばよいですか？　自分が後どれだけ生きられるかにもよ

るとは思うのですが……」「私のお金のうち、今どこまで使ってもよいですか？」といったご質問をよく受けます。このような質問をされる方は、将来自分が介護施設に入ることを想定して相談されていることが多いように思います。どれだけ生きられるか？　それは誰にもわからないことなので、どれだけお金を残しておけばよいかという質問の答えは得てして曖昧なものになってしまいます。

　しかし、私は別の角度から次のような方法をおすすめしています。あなたが配偶者や子に最低これだけは残したいと思う金額を「保険金額」とした終身保険に加入しておき、残りの財産はすべて自分のために使うお金だと決めてしまうことです。この方法のメリットは、**あなたの財産を「自分が使う分」と「家族へ残す分」とに明確に分ける**ことができる点です。生前贈与についても、生命保険と同じ考え方で進めることができます。

　この方法を使うことで、あなたには、「財産整理」により「自分に必要な財産」だけが残り、「財産移転」により「自分が使える財産」だけが残ることになります。

　これで、今後あなたは「必要な財産」と「いつでも使える財産」というシンプルな財産に囲まれて生きることができるようになります。財産の管理は楽になり、将来への不安もなくなり、すっきりした前向きな毎日を送ることができるようになるでしょう。

相続対策の流れ

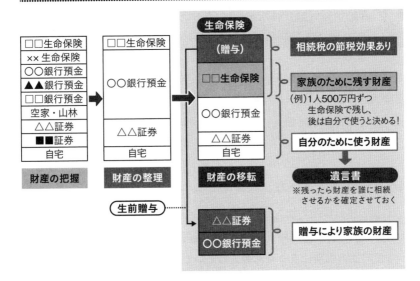

財産の把握	財産の整理	財産の移転
●財産の状況がわかる ●相続税の申告が必要かどうかがわかる ●相続税がいくらになるのかわかる	●財産の状況が一目瞭然となる ●必要な財産だけが残る ●財産の管理が楽になる ●相続手続が楽になる	●自分が使える財産だけが残る ●家族間の相続トラブルを防ぐことができる ●相続税の節税効果が期待できる

6-02 生命保険に加入しましょう

5章6「生命保険を見直しましょう」で、相続対策に効果がある保険と効果がない保険に分け、生命保険の整理を行ないました。次に、必要に応じた生命保険に加入して効果的な相続対策を行ないましょう。

1 生命保険の選び方

新規の生命保険の加入が相続対策になるケースは、次の2つです。
- 現状に加え、生命保険を相続対策に活用できる場合
- 今まで生命保険にまったく加入していなかった場合

では、次の手順で、加入する保険の内容を確認していきましょう。

①生命保険の加入前に、財産状況の確認をする

相続税の申告は必要か、相続税はいくらになるのか、遺産分割がしやすい財産状況か、などを確認して、本当に生命保険が必要なのかを確認しましょう。また、生命保険は解約しない限り自分自身で使うことができません。自分に必要なお金までも生命保険に使ってしまわないよう、余裕資金の範囲内で加入しましょう。

②保険の種類は「終身保険」を選ぶ

定期保険や養老保険ではなく、終身保険を選びましょう(5章6参照)。特に、相続対策の効果が高いのは「一時払い終身保険」です。**一時払い終身保険は、相続税の課税財産である現金を非課税財産である生命保険**

に変えることができます。また、一時払い終身保険は加入できる年齢の範囲が広く、高齢者でも加入しやすいのが特徴です。

③「相続税」の課税対象となる契約形態にする

契約者：あなた、被保険者：あなた、受取人：家族（相続人）

このような契約形態にしましょう。受取人は相続人の中から指定するようにします。相続人以外を受取人に指定すると、その人に相続税の申告義務が生じたり、相続税が2割増しになったりするなど、相続税の計算が複雑になり、家族に迷惑をかけることにつながります。

④相続税の非課税限度額を最大限利用できる保険金額にする

500万円×法定相続人の数＝非課税限度額

非課税限度額をすべて使いきるように加入しましょう。1人500万円までが非課税という計算ではなく、相続人全員で非課税限度額まで使うことができます。例えば、法定相続人が3名で1,500万円が非課税限度額の場合、相続人の1人だけが1,500万円の生命保険金の受取人となっていたとしても、1,500万円が非課税となります。

⑤生命保険の「契約者」が保険料を負担する

税金計算上は、「契約者」が誰であっても、「保険料負担者」が誰であるかで課税関係を判断します。「契約者≠保険料負担者」となっていると税金上のトラブルが起こりやすいので、**必ず契約者が保険料を負担するようにしましょう。**

⑥受取人を指定する

受取人を「契約者の相続人」とすることもできますが、保険金の分割

が必要となってしまいます。必ず受取人を指定するようにしましょう。また、受取人は「長男50％、二男50％」と割合で指定することもできます。しかし、1契約で受取人が複数人いると、請求手続の際にトラブルになる可能性があります。生命保険は「1契約につき受取人は1人」としましょう。相続人の数だけ保険契約があるのが理想です（5章6参照）。

⑦**できる限り、「受取人」「保険金額」は相続人間で公平にする**

　生命保険金は保険金を請求する受取人の財産であり、相続財産ではないため、遺産分割の必要はありませんが、受取人や保険金額に不公平があれば、家族関係が悪化する原因となります。配偶者と子の間で保険金額に差があっても構いませんが、子の間で保険金額に差があるとトラブルになりやすいので、なるべく公平になるように加入しましょう。

生命保険に加入する際のポイント

- □ 生命保険の加入前に、財産状況の確認はできているか
- □ 余裕資金の範囲内で生命保険を検討できているか
- □ 保険の種類は「終身保険」となっているか
- □ 相続税の課税対象となる契約形態になっているか
    契約者：あなた、被保険者：あなた、受取人：家族（相続人）
- □ 相続税の非課税限度額を最大限利用できているか
- □ 契約者が保険料を負担しているか
- □ 受取人は指定されているか
- □ 「1契約につき受取人は1人」となっているか
- □ 「受取人」「保険金額」が相続人にとって公平になっているか

2　生命保険の加入の流れ

生命保険の加入の流れ

①保険会社を選ぶ
↓
②相続対策が目的であることを伝える
↓
③生命保険の契約形態を必ず確認する
↓
④生命保険に加入する
↓
⑤生命保険一覧表に記載する

①保険会社を選ぶ

　まず、どこで保険商品を購入するかですが、現在加入している保険会社があり、信頼できる担当者がいるのであれば、その方に相談するのがよいでしょう。

　しかし、現在保険にまったく加入していない場合や、保険会社の担当者と合わなくて頼みたくない場合などは、複数の保険会社の保険を取り扱っている総合保険代理店など、目的に合った生命保険を選んでもらえるところで加入するとよいでしょう。担当者が誠実で信頼できるかどうかを判断するためには、こちらが聞かなくてもその商品のデメリットを説明してくれるかどうかがポイントになります。

②保険会社の担当者には相続対策が目的であることを伝える

　あくまで相続対策が目的で生命保険に加入するので、それ以外の保険の機能は特に必要ありません。そのことをはっきり保険会社の担当者に

伝えましょう。複雑な商品もありますが、ここではなるべくシンプルでわかりやすい商品を選びましょう。担当者から説明を受けても理解できなかった保険については、加入を避けたほうがよいでしょう。

③生命保険の契約形態を必ず確認する

繰り返しになりますが、生命保険の種類や契約形態が間違っていれば、相続対策の効果はまったくありません。保険会社の担当者の話を鵜呑みにせずに、自分の頭と目で必ず確認するようにしましょう。

④生命保険に加入する

保険商品の内容を理解することができ、この保険で相続対策の効果があると判断できれば、生命保険の加入の手続を進めましょう。

⑤生命保険一覧表に記載する

保険証券が届いたら、保険証券の内容を確認して、生命保険一覧表に追加しておきましょう。生命保険一覧表への追加が終われば、他の保険証券と一緒にファイルに入れて保管しましょう。

生命保険一覧表【整理後】

2022年8月31日現在

①会社名	②種類	③番号	④契約者	⑤被保険者	⑥受取人	⑦保険金額	備考
高山生命	終身保険	222-222222	山田 太郎	山田 太郎	山田 一郎	10,000,000	
						10,000,000	

> 新たに加入した生命保険を追加しましょう

MEMO　なるべく「子」を生命保険金の受取人とする

　保険金の受取人は「配偶者」とするよりも「子」とするほうが、相続対策としては効果的です。

・納税資金の準備

　配偶者には「税額軽減の特例」があるため、相続税がかかることはほとんどありません。通常、相続税の負担をするのは、「子」のほうです。受取人を「子」としておくと、「子」は受け取った保険金をそのまま相続税の納税資金として使うことができます。

・相続税額を抑えられる

　相続税額の計算は、家族で支払うべき相続税の総額を「取得割合」で按分することで、各自の相続税の負担額が決まります。非課税部分の保険金は「取得割合」に含まれないため、「配偶者」が受け取るよりも「子」が受け取ったほうが、相続税を抑えることができます。

・二次相続

　非課税財産である保険金を配偶者が受け取ってしまうと、受け取った保険金が、現金として配偶者の相続財産を構成します。その結果、配偶者の相続の時にこの保険金に相続税がかかる結果となってしまいます。

　このように、保険金の受取人を「配偶者」ではなく「子」にすることが、効果的な相続対策につながります。

03 相続対策における贈与のポイント

贈与とは、自分の財産を相手に無償で譲ることをいいます。贈与は「契約」ですので、当事者が2人いなければ成立しません。財産をあげる人を「贈与者」といい、財産をもらう人を「受贈者」といいます。財産を贈与することにより財産の所有者が変わるので、相続対策に有効です。

1　贈与成立の要件

贈与は法律上、次のように規定されています。

> 民法第549条
> 贈与は、当事者の一方がある財産を無償で相手方に与える意思を表示し、相手方が受諾をすることによって、その効力を生ずる。

贈与は契約ですから、契約が成立するためには、要件を満たす必要があります。その要件とは**「贈与者」**と**「受贈者」**の意思の合致です。

例えば、贈与者がA、受贈者がB、財産がZだとします。

A：「Bさん、私はあなたにZをあげます」
B：「Aさん、私はあなたから確かにZをもらいます」

というように、双方の意思が合致していることが要件です。口頭での確認であっても贈与は成立しますが、書面で贈与の事実を明らかにしておくほうがよりよいでしょう。

2　贈与が成立している状態とは

贈与が成立している状態とは次のような状況でなければなりません。

①受贈者が財産をもらったことを認識していること

贈与成立の要件は「意思の合致」なので、財産をもらった人が、財産をもらったことを知らないということはあり得ません。知らないということは贈与が成立していないということです。

②受贈者がもらった財産をいつでも使える状態にあること

贈与することにより財産の所有者が変わります。財産の所有者は、財産を管理したり使ったりする権利を持っています。つまり、財産をもらった人がいつでも使える状態でなければならないのです。例えば、親名義の預金口座から子名義の預金口座に100万円のお金を移動して、子名義の預金通帳を親が保管していたとします。これでは子がいつでもこの預金を使える状態にないため、子の財産になったとはいえません。このような状況では、贈与が成立しているとはいえないのです。

3　贈与における最大のポイントはここです！

贈与における最大の問題点は、**財産をもらう子や孫が若いうちからまとまったお金（財産）を手にしてしまうこと**です。

極端な例ですが、生まれた時から、子が親から毎年100万円の贈与を受け、25歳を迎える頃には、すでに2,500万円を超える預金を持っていたとします。この子は今後、身を粉にして働くことができるでしょうか。25歳といえば、一部の人を除き、まだまだ仕事を一人前にこなせるスキルがあるとはいえず、収入も安定しない時期です。この頃に自分の収入や貯蓄をはるかに超える財産を持ってしまうと勤労意欲を失ってしま

います。また、2,500万円といっても亡くなるまでの生活を維持していける貯蓄金額ではありません。無収入となってしまえば10年〜15年で尽きてしまうでしょう。

このように、贈与ははじめる時期を間違えると、「財産をもらう人」の人生を変えてしまう恐れがあります。**子のために、よかれと思ってやった贈与が、子の人生を狂わせてしまうことにもつながりかねません。**贈与をはじめる時期は、十分に検討する必要があります。

また贈与は、「財産をもらう人」に財産をあげたことを知らせずに行なうことはできないという点も肝に銘じておいてください。「子のために少しでも多く預金を残してあげたい」や「なるべく相続税がかからないようにしてあげたい」という親心はとてもよくわかります。しかし子に内緒で行なう子名義の預金口座での貯蓄は、後々の税務署とのトラブルの種になります。

4　贈与をはじめるタイミングは？

贈与をはじめるタイミングはとても判断が難しいです。「子が一人前になった時から」といいたいところですが、なかなかその一人前の判断も難しいでしょう。そこで、ひとつの判断基準としては、自分の子が子育てを終えてからがよいと思います。人の親にならなければ、自分の親の気持ちはなかなかわかりません。またお金の大切さを知るには、それなりの期間、汗水流して働く必要があります。働いてお金をもらうということはそう簡単ではありません。それらのことをひととおり経験した子ならば、あなたの贈与による好意が、**子にとって当たり前とはならず、感謝の気持ちも忘れないでしょう。**

贈与が当たり前になってしまうと、お金の価値がわからなくなり湯水のように使ってしまったり、お金がなくなるとすぐに親を頼るように

なってしまいます。

そうなってしまわないためにも、例えば、何かのお祝いといった理由を添えて贈与を行なうなど、**あなたからの贈与が子や孫にとって当たり前になってしまわないように工夫する**ことが大切です。

贈与は、相続税対策としてとても効果的ですが、これらのことを理解し、まず、贈与の方針を決めてから進めていかなければなりません。贈与自体は簡単ですが、贈与が及ぼす節税効果以外の作用にも細心の注意を払って行なわなければならないことを、このタイミングでぜひ知っておいていただきたいと思います。

5　必ず余裕資金の範囲内で贈与する

相続税対策を理由になるべくたくさん贈与をするというのは、家族思いでとてもよいと思います。しかし、あなたの今後の生活は、相続税対策よりも大切です。贈与しすぎてしまったことで、あなたに金銭的余裕がなくなってしまっては元も子もありません。一度あげてしまったお金を返してとはなかなかいえませんし、「もらった人」が返してくれるとは限りません。贈与は、あなたが自分の人生の中でおそらく使わないであろうお金、つまり余裕資金の範囲内で行なうよう心掛けましょう。

04 贈与に関する税金を理解しましょう

贈与をうまく活用するために、贈与に関する税金の仕組みを理解しておきましょう。

1　贈与税のしくみ

贈与税とはどのような税金でしょうか。ここに贈与税の特徴を列記します。

①受贈者が納税者

財産をもらった人（受贈者）が支払う税金です。

②暦年課税

毎年1月1日から12月31日までの間に受け取った贈与金額で贈与税を計算します。

③基礎控除

毎年110万円の基礎控除があります。受けた贈与金額の合計額が1年間に110万円以下の場合には贈与税がかかりません。

④非課税財産

贈与税がかからない財産のことです。

原則的には「暦年贈与」で計算しますが、例外として届出書を提出することにより「相続時精算課税制度」を選択することができます。

「相続時精算課税制度」は、仕組みが複雑な上、相続税対策の効果を出すのが難しい制度となっています。本書は「シンプルな財産、シンプ

ルな相続対策」という観点で書いているため、この制度の説明は割愛させていただきます。

2　贈与税の計算方法

贈与税は次のように計算します。

①その年の1月1日から12月31日までの間の1年間に、贈与により受け取った財産の金額を合計します。
②①の金額から基礎控除110万円を差し引きます。
③②の金額（課税価格）に贈与税率を乗じて贈与税を計算します。
　（贈与税の速算表により計算します）

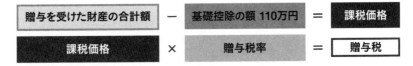

贈与税の速算表【一般贈与財産用】(一般税率)

課税価格	200万円以下	300万円以下	400万円以下	600万円以下	1,000万円以下	1,500万円以下	3,000万円以下	3,000万円超
税率	10%	15%	20%	30%	40%	45%	50%	55%
控除額	—	10万円	25万円	65万円	125万円	175万円	250万円	400万円

特例適用財産以外の贈与における贈与税の計算で使用します。
(例)夫婦間での贈与、兄弟姉妹間での贈与、父母と未成年の子との間での贈与、祖父母と未成年の孫との間での贈与など

贈与税の速算表【特例贈与財産用】(特例税率)

課税価格	200万円以下	400万円以下	600万円以下	1,000万円以下	1,500万円以下	3,000万円以下	4,500万円以下	4,500万円超
税率	10%	15%	20%	30%	40%	45%	50%	55%
控除額	—	10万円	30万円	90万円	190万円	265万円	415万円	640万円

直系尊属(父母、祖父母)から18歳以上の直系卑属(子、孫)への贈与における贈与税の計算で使用します。
(例)父母と18歳以上の子との間での贈与、祖父母と18歳以上の孫との間での贈与

例:「20歳以上の子」へ現金300万円を贈与した場合(特例税率)
※子は1年間にこれ以外に受けた贈与はなかったものとします

300万円　－　　110万円　　＝　190万円
(贈与金額)　　(基礎控除の額)　　(課税価格)

190万円　×　　10%　　＝　19万円
(課税価格)(200万円以下の贈与税率)(贈与税額)

3　贈与税の非課税財産

　贈与税は、原則として贈与を受けたすべての財産に対してかかりますが、例外として贈与税がかからない財産が相続税法などに定められています。このような財産を「贈与税の非課税財産」といいます。
　非課税財産の中で押さえておいてほしい項目は次の2点です。

贈与税の非課税財産

①扶養義務者間での生活費や教育費
　扶養義務者(配偶者、子、父母、祖父母、兄弟姉妹など)から受け取った生活費や教育費は贈与税がかかりません(ただし、生活費や教育費として**必要な都度、直接これらの費用に充てるためにする贈与**に限られています)。

②個人から受け取るお祝い、見舞金、香典など
　個人からのお祝い、見舞金、香典、年末年始の贈答などで受け取ったお金や品には贈与税がかかりません(社会通念上相当と認められるものに限られています)。

4 生前贈与加算(生前贈与の3年ルール)

　相続税の計算には、生前に贈与した財産のうち、贈与した人が亡くなった日以前3年以内に贈与した財産については、相続財産に足し戻して相続税の計算をしなければならないという「生前贈与の3年ルール」があります。この3年間を「生前贈与加算対象期間」といいます。「生前贈与加算対象期間」に行なった贈与については、相続財産に含めて相続税の計算をしなければならないため、生前贈与による節税効果はなくなってしまいます。

　相続財産に含めなければならない贈与は、「あなたの相続発生時に、**相続により財産を取得した人**が生前に受け取った贈与」です。

生前贈与加算対象期間とは

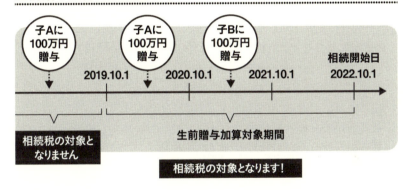

　これらの知識は、生前贈与を行なう上で欠かすことができません。しっかり理解して効果的な生前贈与を行ないましょう。

6 05 贈与の賢い進め方

前項「贈与に関する税金を理解しましょう」で確認した特徴を理解した上で、効果的な贈与を行ないましょう。

1 贈与税の非課税を有効活用する

・子の生活費（食費や公共料金など）を負担する
・孫の教育費（入学金や授業料など）を負担する
・子に出産のお祝いをする
・孫に結婚のお祝いをする　など

　必要が生じた都度、直接行なったこれらの贈与は年間110万円の暦年贈与とは別に、贈与税がかからずに贈与をすることができます。

> 例：子に毎年110万円の贈与を行なっているが、この贈与とは別に、毎月の食費分5万円を渡している（子はこの5万円を食費にすべて使っている）
> ⇒　110万円＋(5万円×12ヶ月)＝170万円を1年間に贈与しているが、子に贈与税はかからない

2 暦年贈与・基礎控除を有効活用する

・**毎年110万円を繰り返し贈与する**

　　110万円を贈与する　⇒　基礎控除を有効活用する
　　毎年コツコツ贈与する　⇒　暦年贈与を有効活用する
　　基礎控除と暦年贈与を利用して、毎年コツコツと繰り返し贈与を進め

ると、効果的に財産を移転することができます。しかし、財産状況や家族構成によっては、贈与税を支払ってでも110万円を超える贈与を行なったほうが、節税効果が高い場合もあります。例えば、相続財産が多く相続税が多額になってしまう場合や、家族が少なく贈与できる人が1人しかいない場合などが考えられます。

例：
・毎年110万円の贈与を10年間続けた場合
（贈与できる金額）
110万円 × 10年 ＝ 1,100万円
（贈与税の計算）
110万円 － 110万円 ＝ 0円
0円 × 10年 ＝ 0円
⇒ 贈与税0円で1,100万円贈与することができる

・毎年300万円の贈与を10年間続けた場合
（贈与できる金額）
300万円 × 10年 ＝ 3,000万円
（贈与税の計算）
300万円 － 110万円 ＝ 190万円
190万円 × 税率10％ ＝ 19万円
19万円 × 10年 ＝ 190万円
⇒ 贈与税190万円で3,000万円贈与することができる

どちらの節税効果が高いかは、相続税申告時の相続税率によります

3　孫に贈与する

・子ではなく、孫に贈与する

あなたの財産は、子を通じて孫へと相続されていきます。なぜなら、孫はあなたの子の相続人だからです。

通常、あなたの財産はあなたから子へ、そして子から孫へという順番

に相続されていきます。つまり、あなたの財産が孫の財産となるまでに最低2回は相続税が課税されることになります。

　そこで、あなたの財産をあなたから子、子から孫へ相続するよりも、あなたから孫へ直接生前贈与してしまえば、税金が課税される機会は贈与税1回のみとなり、課税される回数を減らすことができるため、支払う相続税を減らすことができます。

> **MEMO** 孫への贈与が相続税対策になる

　医者に病気を宣告され、自分はもう長くはないと悟られた方からご相談を受けたことがあります。そして、なるべく家族に相続税がかからないようにしたいという想いがありましたが、配偶者や子への贈与は、生前贈与加算（生前贈与の3年ルール）の対象となり、贈与による節税効果は見込めない状況でした。

　このような場合には、お孫さんへの贈与をおすすめします。この方の**財産を相続により取得しない孫への贈与は、生前贈与加算（生前贈与の3年ルール）の対象とならない**からです。孫への贈与は、たとえ亡くなった日の1日前に贈与をしていたとしても、相続税の節税効果があります。この方も、最期にお孫さんの喜ぶ顔を見ることができてうれしかったのではないかと思います。

4　子だけではなく、孫や子の配偶者などなるべくたくさんの人に贈与する

　贈与税は受贈者が納税義務者です。もらった人が支払う税金ですから、なるべくたくさんの人に贈与することができれば、1年間のうちにたくさんの財産を移転することができ、相続税の節税効果は高くなります。

> 例：配偶者、子A、子B、子Aの配偶者、子Bの配偶者、孫4人の合計9人にそれぞれ110万円を贈与すると、贈与を受けた人はそれぞれ受け取った金額が110万円となるので、支払う贈与税は0円となります。しかし、あなたは1年間に990万円（110万円×9人）の財産を減らすことができました。これを5年間続けると、4,950万円（990万円×5年）をあなたの財産から減らすことができます。

　ここまで見てきておわかりになられたと思いますが、財産を「現金」で持っておくと、これらの方法を利用して効果的な相続税対策を行なうことができます。しかし、不動産などの換金しにくい財産で持っていると、これらの方法を使うのが難しくなります。つまり、財産をシンプルにしておくことは、相続対策の選択肢を広げることにもつながるのです。

06 現金贈与を実行しましょう

　現金贈与を実行するのはとても簡単です。しかし、簡単であるがゆえに税務署とのトラブルが多いのもまた現金贈与なのです。贈与と名義預金による税務署とのトラブルは、お金の行方を追及されるため、納税者にとって精神的につらく大変なものとなります。

　そこで、本項のとおりに贈与を進めれば、贈与による税務署とのトラブルを防ぐことができます。現金贈与を確実に実行しましょう。

1　贈与することを相手に伝える

　現金贈与の手順は、下記のとおりです。

現金贈与の実行の流れ

①贈与することを相手に伝える
　　　↓
②贈与契約書を作成する
　　　↓
③お金を振り込む
　　　↓
④預金通帳にメモする
　　　↓
⑤贈与税の申告をする

　「贈与が成立していないので、これは名義預金ですね」と税務署から

指摘されないようにするために、贈与する相手に対して、「あなたに現金を贈与します」とはっきりあなたの意思を伝えておきましょう。

贈与は、財産をあげる人（贈与者）と財産をもらう人（受贈者）の「意思の合致」が成立の要件となっています。「贈与者があげたことを知らない」「受贈者がもらったことを知らない」、このような状況では「贈与」は成立しません。

「贈与」が成立していないということは、たとえお金の移動があったとしても、**お金の所有者は変わっていない**ということなので、このお金が**誰の預金口座に入っていようとも、あなたの財産のまま**ということになります。この家族名義の預金口座の中に入っているあなたのお金のことを「名義預金」といいます。名義預金が相続税の申告から漏れていると税務署から指摘されて、追徴課税となるケースが本当に多いのです。

2　贈与契約書を作成する

贈与契約書には次の5つのことを書き記します。そして、日付を入れ、贈与者である「あなた」と受贈者である「お金をもらう家族」が、贈与契約書に署名捺印をします。

【贈与契約書に書くべきこと】
①いつ贈与するのか
②誰に贈与するのか
③何を贈与するのか
④いくら贈与するのか
⑤どのように贈与するのか

> 例：
> いつ贈与するのか　　　⇒　2022年11月20日までに
> 誰に贈与するのか　　　⇒　山田一郎に
> 何を贈与するのか　　　⇒　現金を
> いくら贈与するのか　　⇒　110万円
> どのように贈与するのか　⇒　振り込むものとする
> (208ページ「贈与契約書の記載例」を参照)

あなたと家族の財産を守る大切な書類です。贈与契約書は必ず作成しておきましょう。

MEMO　贈与は証拠が重要

贈与をする時には、「いつも遊びにきてくれる孫にこっそりあげたい」とか「子の喜ぶ顔が見たい」など、もっと気軽にあげたいという方もおられるかと思います。「贈与するためにわざわざ契約書をつくるのか」と思われるかもしれません。確かにお年玉やおこづかい程度であれば、贈与契約書までつくる必要はありませんが、相続税対策として贈与を行なう場合には、税務署に「贈与ではなく名義預金ではないか？」と疑われないようにしなければなりません。そのためには、いかに贈与の事実を証拠として残すかがポイントとなります。この贈与があったことを示す客観的な証拠となるのが「贈与契約書」なのです。

3　お金を振り込む

贈与は、現金を手渡しで行なうのではなく、「あなた」の預金口座から「お金をもらう家族」の名義の預金口座へ振り込みで行ないましょう。**預金通帳に振込先や金額が印字されるため、現金移動の客観的な証拠を**

残すことができます。

　贈与の相談をお受けする際によく聞かれるのが、「現金でこっそりあげたほうがバレにくいですよね？」という一言。実はこの方法は、まったく逆の行動なのです。

　もし仮に税務調査が入って、110万円の贈与が見つかったとしても、正しく贈与が行なわれてさえいれば何も問題にはなりません。**現金でこっそり渡していると逆に事実関係が曖昧になり、税務署員の確認が長引いてしまうことにつながります。**1年間に110万円以下の贈与であれば贈与税はかからない制度になっています。これは認められている方法です。贈与はこっそりではなく、証拠と共に堂々と行ないましょう。

　振込先の預金口座は、「お金をもらう家族」が普段から使用している預金口座へ振り込むのがポイントです。これは「受贈者がもらったことを知らない」という状況でないことを客観的に示すためです。お金をもらった家族が給与振込や生活費に使っている預金口座に両親からお金が振り込まれて、贈与があったことを知らないなんてことはあり得ません。家族が「もらったお金は別に管理しておきたい」という場合は、一度普段使用している預金口座を通して、別の口座へ振り替えてもらうとよいでしょう。

4　預金通帳にメモする

　預金通帳に印字されている振込金額の横の余白にボールペンなどで「○○（名前）へ贈与」と書いておきましょう。そして、その預金通帳は大切に保管しておきましょう。

　税務署に対して贈与の事実を明らかにするために贈与契約書を作成することをおすすめしますが、贈与の事実を明らかにするものは贈与契約

書だけではありません。贈与契約書に代わるものとして、預金通帳にメモを残すという方法があるのです。

　この贈与が税務署との議論となるのは、あなたが亡くなった後の相続税の税務調査の時です。この時点では、あなたはすでに亡くなっており、事後にメモを残すことはできません。それゆえに、あなたの筆跡による**贈与の意思を記したメモ**が、贈与の事実を示す強い証拠となるのです。

　「贈与契約書」と「預金通帳へのメモ」のどちらも贈与の証拠となります。どちらか一方だけでも構いませんが、証拠書類は失くしてしまうリスクがあります。両方用意しておくと安心です。

5　贈与税の申告をする

　贈与を受けた金額が1年間に110万円を超えた受贈者は、贈与税の申告をする必要があります（もらった人が申告と納税を行ないます）。

　贈与税の申告が必要な場合には、贈与があった年の翌年2月1日から3月15日までの間に、受贈者が住んでいる場所の管轄税務署へ贈与税の申告書を提出します。贈与税の納付については、税務署で贈与税の納付書をもらい、必要事項（住所、氏名、贈与税の金額など）を記載して金融機関または最寄りの税務署で贈与税を支払います。

　贈与税の申告は贈与を受けた金額が基礎控除の範囲内であれば不要ですが、贈与の証拠とするため、あえて贈与税の申告をする方がいます。では、贈与税の申告書そのものが「贈与」成立の証拠となるのでしょうか。答えはノーです。次の例で考えてみましょう。

　母が子名義の預金口座を開設し、子がもらったお年玉などを預金していました。子が大きくなるにつれて、母は子の将来のために、子に内緒でこの口座に毎年120万円を入金し、預金通帳を保管していました。母

は子の名前で贈与税の申告をし、贈与税1万円を支払っていました。

　さて、この贈与税の申告は、「贈与」成立の証拠となるでしょうか。もうおわかりだと思いますが、これは贈与の証拠とはなりません。なぜなら子はお金をもらったこと知らないからです。税金の申告は本来本人が行なうべきものですが、このケースのように母が提出しても、子が知らないところで、特に問題になることなく処理されてしまうことがあります。

　「贈与」は、贈与税の申告書があったとしても、要件を満たしていない場合には「贈与不成立」と判断されますのでご注意ください。

6　名義預金になっていませんか？

　税務署に名義預金と判断されないようにするために、次のことに気をつけましょう。

①子名義の預金口座の銀行印は子のものを使用しましょう
　　⇒家族名義の預金口座があなたの銀行印になっていませんか？
　　あなたが管理している預金口座と判断される可能性があります。

②預金口座に登録されている情報を現在の情報に更新しましょう
　　⇒結婚して姓が変わっているのに、旧姓名義のままになっていませんか？
　　⇒子の住所が実家の住所のままになっていませんか？
　　あなたが管理している預金口座と判断される可能性があります。

③預金通帳は必ず本人が保管しましょう
　　⇒子名義の預金通帳をあなたが保管していませんか？
　　⇒預金通帳やキャッシュカードは子に渡しましょう。
　　贈与を受けたお金は、もらった人が管理し、本人がいつでも使える状態になければなりません。

贈与契約書の記載例

110万円の贈与をした場合

贈与契約書

贈与者 山田 太郎 と受贈者 山田 一郎 は、次の契約を締結した。

【何を】【いくら】【誰に】

第一条　本日、山田 太郎 は、現金1,100,000円を 山田 一郎 に贈与し、山田 一郎 はこれを承諾した。

【いつ】

第二条　山田 太郎 は、贈与した現金を、2022年11月20日までに、山田 一郎 が指定する銀行預金口座に振り込むものとする。

【どのように】

この契約を証するため、本契約書を締結し、両者が署名捺印する。

【日付】

2022年11月10日

大阪府吹田市千里万博一丁目100番10号
贈与者　山田　太郎

大阪府吹田市千里万博三丁目3番3号
受贈者　山田　一郎

【お互いの署名と捺印】

贈与税の申告書の記載例
1年間に300万円の贈与を受けた場合

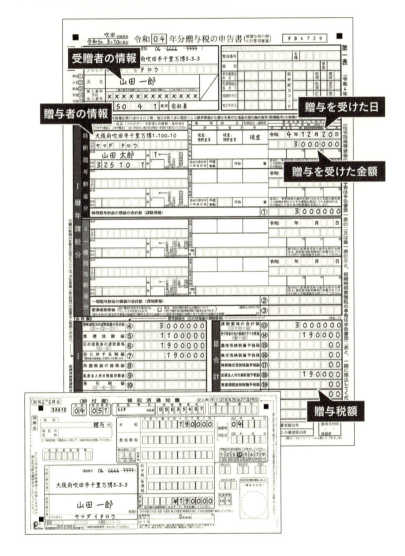

07 遺言のポイント

遺言書を作成する前に、遺言のポイントを確認しておきましょう。

1 遺言とは

遺言とは、あなたが亡くなった後の遺産の分割方法などの法律関係を定める最後の意思表示をいいます。

2 遺言でできること

遺言では、主に次のようなことをすることができます。遺言書に記す文章と共に解説していきます。

①相続分の指定

「法定相続分」とは異なる相続分を指定することができます。

> 妻 山田 洋子の相続分を4分の3、長男 山田 一郎の相続分を4分の1とする。

②遺産分割方法の指定

相続人の遺産分割の方法を指定することができます。

> 妻 山田 洋子 に次の財産を相続させる。
>   丹後銀行　千里支店　普通預金　1234567
> 長男 山田 一郎 に次の財産を相続させる。
>   野辺山銀行　万博支店　普通預金　1122334

③遺贈

　遺贈とは、遺言により財産を無償で譲ることをいいます。相続人や相続人以外の人にも財産を遺贈することができます。

> 長男 山田 一郎 の長女 山田 春菜 に次の財産を遺贈する。
> 日光証券　千里支店　株式　白山商事株式会社

④ 遺言執行者の指定

　遺言の記載内容のとおりに相続手続を行なう者を遺言執行者といいます。遺言では、遺言執行者を指定することができます。

> 遺言者はこの遺言の遺言執行者として、次の者を指定する。
> 　　　　大阪府吹田市千里万博一丁目１００番１０号
> 　　　　山田　洋子

⑤付言事項

　付言事項とは、遺言書の最後に書く家族へのメッセージです。法的効力はありませんが、家族にあなたの想いを伝えることができます。

> これは私が今までがんばってつくり上げてきた財産です。これを大切なあなたたちに遺言書のとおりに残すことに決めました。大切に使ってください。財産のことでケンカをするのは恥ずかしいことです。家族みんなが仲よく暮らしていくことを最優先に考えて行動してください。一郎は母さんを支えてください。

3　遺言の種類

　遺言は、大きく分けると、自分で作成する「自筆証書遺言」と公証人に作成してもらう「公正証書遺言」の２種類があります。

①自筆証書遺言

自筆証書遺言とは、遺言を残す人が自筆により作成する遺言です。

自筆証書遺言を有効なものとするためには、「全文」「日付」「氏名」を自筆し、これに捺印する必要があります（添付する財産目録はパソコンでの作成可能）。自筆証書遺言のメリットとして、遺言書に証人や立会人は不要であり費用もかからないため、手軽に作成できることがあげられます。ただし、遺言者が亡くなった時には原則、家庭裁判所の検認手続が必要となります。

②公正証書遺言

公正証書遺言とは、遺言を残す人が公証人に対して遺言の内容を伝え、これを公証人が筆記して作成する遺言をいいます。

公正証書遺言のメリットとして、公証人が作成するため無効となる恐れがないこと、家庭裁判所の検認手続の必要がないこと、偽造されるリスクがないことなどがあげられます。デメリットとしては、証人2人以

遺言書の種類

種類	自筆証書遺言	公正証書遺言
方法	本人が遺言書を作成する	本人と証人2人が公証人役場で遺言書を作成する
証人	不要	2人以上
作成者	本人	公証人
署名・捺印	本人	本人、公証人、証人
家庭裁判所の検認	必要	不要
費用	かからない	かかる
秘密	保てる	保てない
紛失・偽造等	リスクあり	リスクなし
遺言の要件	要件を満たさない場合無効となる恐れあり	公証人が遺言書を作成するため無効となる恐れなし
要件の内容	①全文自筆で書く ②日付を書く ③署名捺印をする	―

上の立ち会いが必要であること、遺言書の存在を秘密にできないこと、手続費用がかかることなどがあげられます。

4　遺言執行者の選び方

　遺言書の中で「遺言執行者」を指定していると、遺言執行者が遺言書に基づいて単独で手続を行なうことができるため、相続を円滑に進めることができます。

　しかし、この遺言執行者を誰にするのかは悩むところです。遺言執行者となるのに資格などは必要ないため、誰でも遺言執行者に指定することができます。遺言執行者の主な仕事は不動産や預金の名義変更手続ですが、これらの手続は一生のうちに何度もやることではないため、初めての方にとってはとても大変な作業となります。これを念頭において誰を遺言執行者とするのがよいか考えてみましょう。

①配偶者とする場合

　配偶者はあなたの遺言執行者としては適任ですが、配偶者を遺言執行者にすると、あなたより先に配偶者が亡くなってしまったり、認知症などにより役割を果たせなくなるリスクがあります。また、配偶者はあなたと年齢が近く、同じように年齢を重ねていきますので、高齢になると遺言執行を行なうのが困難になります。

②最も信頼できる子とする場合

　信頼できる子に遺言執行者を任せるのはひとつのよい方法です。しかし、子の1人が遺言執行者に選ばれているという事実は、ほかの子からすればおもしろい話ではありません。もし信頼できる子を遺言執行者として指定する場合には、ほかの子らが納得できるように、付言事項にな

ぜそうしたのか理由を書いておきましょう。

③相続の専門家とする場合

　弁護士や司法書士、行政書士、税理士などの相続の専門家や信託銀行、または相続に精通している者を遺言執行者に指定しておくと、煩わしい戸籍謄本の取得や財産目録の作成、名義変更手続などをすべて確実にスムーズに進めてくれるためとても安心です。しかし、当然ですが、遺言執行者に報酬を支払う必要があります。

　相続人の中に相続手続を進められそうな人がいない、平日の昼間に市役所や銀行で手続ができる人がいない、遺言書の内容から相続人間でトラブルになる可能性がある、などの場合には、報酬を支払ってでも専門家に依頼するほうがよいでしょう。

　誰を遺言執行者にするにせよ、あなたが亡くなった時に、急に自分が遺言執行者であることを聞かされては、その方もびっくりしてしまうでしょう。遺言書で遺言執行者を指定する時には、事前にお願いしておきましょう。

6-08 自筆証書遺言を作成しましょう その1

自分で遺言書を作成してみましょう。ここで書く「自筆証書遺言」は遺言書の完成形という位置付けではありません。後ほど説明する「公正証書遺言」を作成するまでの保険としての遺言書という位置付けです。

1　自筆遺言書の法的要件

自筆証書遺言は、次の3つの要件を守らなければ、有効な遺言書にはなりません。

①遺言書は全文自筆で書くこと

パソコンや代筆による遺言書の作成は認められません。

②日付を書くこと

「2022年12月吉日」では、日がわからないため無効となります。

③署名と捺印をすること

認印でも有効ですが、遺言書の偽造を疑われないためにも実印を押すことをおすすめします。

自筆証書遺言の作成の流れ

①遺言の内容を考える
↓
②下書きをする
↓
③必要なものを準備する
↓
④遺言書を書く

2　遺言の内容を考える

　財産整理後の「財産一覧表」を確認し、「誰に」「何を」相続させるのかを考えましょう。指定することができるのは相続人だけではありませんが、相続人以外の人を指定するとトラブルの元となるので、家族には家族以外の人を指定する考えであることを決めている旨を伝えておきましょう。また、誰に何を相続させるかを考える際には、相続人の「遺留分」を侵害していないかどうかに気をつける必要があります（2章3参照）。

3　下書きをする

　自筆証書遺言は全文自筆で書かなければなりません。いきなり書きはじめると失敗して何度も書き直すことになってしまいます。まず、遺言書の内容を頭の中で整理し、下書きをしましょう。下書きはパソコンを使うと追加や修正が簡単にできてとても便利です。

4　遺言書を書いてみましょう

　下記のものを準備し、次ページの記載例を参考に書いてみましょう。

①筆記用具

　ボールペンなど消えにくいペンを用意しましょう。

②用紙、封筒

　便箋や遺言書を入れる封筒を用意しましょう。

③印鑑、朱肉、印鑑マット

　認印でも法的に有効ですが、実印を用意しましょう。

5　財産目録はパソコン作成が可能に

　2019年1月13日より、遺言書に添付する財産目録はパソコンでの作成が可能になりました。

遺言書の記載例

遺言書 ← タイトルを書く

遺言者 山田 太郎 は、次のとおり遺言する。

1. 妻 山田 洋子（昭和27年6月1日生）に次の財産を相続させる。
   (1) 預貯金
       丹後銀行　千里支店　普通預金　1234567
       丹後銀行　千里支店　定期預金　7654321
   (2) 土地
       所　在　吹田市千里万博一丁目
       地　番　100番10
       地　目　宅地
       地　積　80.00m²
   (3) 建物
       所　在　吹田市千里万博一丁目100番地10
       家屋番号　100番10
       種　類　居宅
       構　造　木造瓦葺2階建
       床 面 積　1階50m² 2階40m²

← 相続人の場合は「相続させる」と書く

← 不動産は登記事項証明書のとおりに書く

2. 長男 山田 一郎（昭和50年4月1日生）に次の財産を相続させる。
   (1) 預貯金
       野辺山銀行　万博支店　普通預金　1122334

3. 長男 山田 一郎の長女 山田 春菜（平成15年2月1日生）に次の財産を遺贈する。
   (1) 有価証券
       日光証券　千里支店　上場株式　白山商事株式会社
                         上場株式　白川物産株式会社
                         投資信託の受益証券　日光MRF

← 相続人以外の場合は「遺贈する」と書く

4. 前各条に記載の財産以外の財産については、妻 山田 洋子 に相続させる。

5. 遺言者はこの遺言の遺言執行者として、次の者を指定する。
       大阪府吹田市千里万博一丁目100番10号
       山田 洋子

← 遺言執行者を決める

← 財産の指定漏れがないようにこの一文を入れる

付言事項
これは私が今までがんばってつくり上げてきた財産です。これを大切なあなたたちに遺言書のとおりに残すことに決めました。大切に使ってください。財産のことでケンカすることは恥ずかしいことです。家族みんなが仲よく暮らしていくことを最優先に考えて行動してください。一郎は母さんを支えてください。

2022年12月1日　　　　　　　大阪府吹田市千里万博一丁目100番10号
　　　　　　　　　　　　　　　遺言者　山田　太郎

← 日付　　　　　　　　　　　　　　　　署名　　　　　　　捺印

6 自筆証書遺言作成のポイント

① 全文自筆で書きましょう。
　⇒全文自筆でなければ遺言書が無効となってしまいます。
② 一番上に「遺言書」とタイトルを書きましょう。
③ 相続人には「相続させる」、相続人以外には「遺贈する」と書きましょう。
④ 預金は、銀行名、支店名、種類、口座番号を書きましょう。残高を書く必要はありません。
⑤ 有価証券は、証券会社名、支店名、銘柄名を書きましょう。
⑥ 不動産は、土地、建物ごとに登記事項証明書に記載されたとおりに書きましょう。
⑦ 前ページ記載例の第4条の一文を入れましょう。
　⇒財産の指定漏れが起こらないように、この一文を入れましょう。
⑧ 遺言執行者を書きましょう。
　⇒遺言執行者は最も信頼できる相続人か、相続の専門家または相続に精通している者を選びましょう。
⑨ 付言事項を書きましょう。
　⇒最後に家族に伝えたいことをあなたの言葉で書きましょう。
⑩ 日付を書きましょう。
　⇒「2022年12月吉日」では無効です。
　⇒「2022年12月1日」と、正確な日付を書きましょう。
⑪ 署名と捺印をしましょう。
　⇒自筆証書遺言の法的要件です。必ず印鑑を押しましょう。認印でも法的には有効ですが、遺言書の偽造を疑われないようにするためにも、実印を使いましょう。
⑫ 2019年1月13日より、財産目録はパソコン作成が可能になりました。

6-09 自筆証書遺言を作成しましょう その2

民法の改正により、自筆証書遺言に添付する財産目録については、パソコンで作成することができるようになりました。これにより、今まで全文自筆で作成しなければならなかった自筆証書遺言が比較的簡単に作成できるようになりました。

1 自筆証書遺言の法的要件

自筆証書遺言の法的要件は、財産目録をパソコンで作成できるようになった点を除き、変更はありません。

①遺言書の本文を全文自筆で書くこと
②日付を書くこと
③署名と捺印をすること

財産目録はパソコンでの作成が可能です。遺言者本人以外が財産目録を作成しても構いません。また、従来の全文自筆による遺言書を作成することも認められています。

2 財産目録の作成方法

記載例に従って、パソコンで財産目録を作成します。

①タイトルを記載する
　⇒「財産目録」と記載します。
②財産を種類別に分けて記載する
　⇒「1.預貯金　2.有価証券　3.不動産」のように、財産を種類別

に記載します。
③財産の詳細を記載する
⇒「(1)(2)」などを使用して、各種の財産の詳細を記載します。

3　遺言書の作成方法

右ページの記載例に従って、自筆で遺言書を作成します。
①タイトルを記載する
⇒「遺言書」と記載します。
②相続・遺贈させたい人を記載する
⇒「妻 山田 洋子 に」のように、相続・遺贈させたい人の名前を記載します。人物を特定しやすいよう後ろに生年月日を記載します。
③相続・遺贈させたい財産を財産目録から指定して記載する
⇒「財産目録1の(1)(2)に記載の財産」のように、財産目録から相続・遺贈させたい財産を指定して記載します。
④その他の事項を記載する
⇒自筆証書遺言作成のポイント(218ページ)に従って、第4条の一文、遺言書執行者の指定、付言事項、日付を記載します。
⑤署名・捺印
⇒署名と捺印をします。

4.　注意点

財産目録に記載の番号と遺言書で指定した番号を必ず一致させるようにしましょう。もし一致していなければ、あなたの思いどおりに財産を家族に承継することができず、あなたの意思を反映させることができなくなります。

遺言書

本文は自筆で書く

遺言者 山田 太郎 は、次のとおり遺言する。

1. 妻 山田 洋子（昭和27年6月1日生）に次の財産を相続させる。
   財産目録1の（1）（2）に記載の財産
   財産目録3の（1）（2）に記載の財産

2. 長男 山田 一郎（昭和50年4月1日生）に次の財産を相続させる。
   財産目録1の（3）に記載の財産

3. 長男 山田 一郎の長女 山田 春菜（平成15年2月1日生）に次の財産を遺贈する。
   財産目録2の（1）に記載の財産

4. 前各条に記載の財産以外の財産については、妻 山田 洋子 に相続させる。

5. 遺言者は、この遺言の遺言執行者として、次の者を指定する。
   大阪府吹田市千里万博一丁目100番10号
   山田 洋子

付言事項
これは私が今までがんばってつくり上げてきた財産です。これを大切なあなたたちに遺言書のとおりに残すことに決めました。大切に使ってください。財産のことでケンカすることは恥ずかしいことです。家族みんなが仲よく暮らしていくことを最優先に考えて行動してください。一郎は母さんを支えてください。

2022年12月 1日

大阪府吹田市千里万博一丁目100番10号
遺言者 山田 太郎 ㊞

署名 **捺印**

6章 財産を移転しましょう

財産目録

パソコン等で作成可

1. 預貯金
   (1) 丹後銀行　　千里支店　　普通預金　　口座番号　1234567
   (2) 丹後銀行　　千里支店　　定期預金　　口座番号　7654321
   (3) 野辺山銀行　万博支店　　普通預金　　口座番号　1122334

2. 有価証券
   (1) 日光証券　千里支店　　上場株式　　　　　　白山商事株式会社
   　　　　　　　　　　　　　上場株式　　　　　　白川物産株式会社
   　　　　　　　　　　　　　投資信託の受益証券　日光MRF

3. 不動産
   (1) 土地
   　　所　在　吹田市千里万博一丁目
   　　地　番　100番10
   　　地　目　宅地
   　　地　積　80.00㎡
   (2) 建物
   　　所　在　吹田市千里万博一丁目　100番地10
   　　家屋番号　100番10
   　　種　類　居宅
   　　構　造　木造瓦葺2階建
   　　床面積　1階 50㎡　2階 40㎡

6-10 自筆証書遺言書保管制度を利用しましょう

　自筆証書遺言書を法務局で保管してくれる制度が令和2年7月よりはじまりました。この制度は自筆証書遺言のメリットを損なわずに、これまでの自筆証書遺言の問題点を解消する目的でつくられた制度です。公正証書遺言と比較するとメリットとデメリットの双方があるので、よく検討した上で選択することをおすすめします。

1　自筆証書遺言書保管制度の主なメリット

①原本が法務局で保管されるため、失くす心配がありません。
②法務局が形式確認を行なうため、遺言が無効になることがありません。
③家族が家庭裁判所で遺言書の検認を受ける必要がありません。
④公正証書遺言と比べて手数料が安いです（3,900円）。
⑤遺言者の死後、指定した人に対し遺言書が保管されていることを通知してくれます。

2　自筆証書遺言書保管制度の主なデメリット

①遺言書を自筆で作成する必要があります。
②一度は必ず遺言者が法務局へ行く必要があります。
③遺言書の内容について問題点の指摘やアドバイスはもらえません。
④遺言書の様式には細かい定めがあり、申請書の作成も必要です。
⑤公正証書遺言と比べて手間がかかります。
⑥遺言執行時に被相続人の出生から死亡までの戸籍謄本が必要です。

では、次の手順に基づいて保管申請の方法を説明します。

自筆証書遺言書の保管申請の流れ

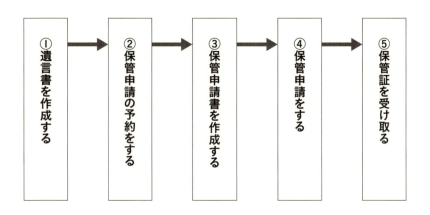

3　遺言書を作成する

　前項の遺言書の記載例に従って遺言書を書きましょう。ここで気をつけたいのが、遺言書と財産目録に使用する紙の大きさ、模様、余白などに指定があることです。用紙の大きさはＡ４サイズでなければならず、模様が入っているものや色がついているものは使用できません。また余白の幅にもルールがあります。左20mm以上、下10mm以上、上と右に5mm以上の余白を空けなければなりません。余白部分が小さいと法務局から指摘を受けますので気をつけましょう。

4　保管申請の予約をする

　遺言書の保管申請に行く日を予約しましょう。予約方法は、①法務局のホームページで予約する、②法務局に電話で予約する、③法務局の窓口に行って予約する、このいずれかです。遺言書の保管を申請できると

ころは、以下のいずれかの場所の管轄法務局（遺言書保管所）です。
・遺言者の住所地
・遺言者の本籍地
・遺言者が所有する不動産の所在地

　特に他の場所を選ぶ理由がなければ、遺言者の住所地の管轄法務局を選ぶとよいでしょう。ホームページから予約する場合には、「法務局手続案内予約サービス」で検索し、「法務局選択」から管轄法務局を選び、予約手続を行ないましょう。

5　保管申請書を作成する

　「法務省 保管制度 申請書」などのキーワードで検索し、法務省の「05：自筆証書遺言書保管制度で使用する申請書等」のページ内にある**遺言書の保管申請書**をダウンロードして印刷しましょう。保管申請書は法務局の窓口にもありますので必要に応じて取りに行きます。保管申請書には遺言者の氏名、生年月日、住所、本籍地などを記載します。記載例が用意されていますが、もし書き方がわからなくなった場合には、法務局に電話して記載方法を確認しましょう。

6　保管申請をする

　予約した日に遺言者が以下のものを揃えて、法務局の遺言書保管所の申請窓口へ行きます。

①**遺言書（封筒に入れずに遺言書原本を提出）**
②**保管申請書**
③**本籍の記載がある住民票（3ヶ月以内のもの）**
④**免許証、マイナンバーカード等（本人確認書類）**
⑤**手数料 3,900 円（法務局内で収入印紙を購入）**

7　保管証を受け取る

　無事に保管申請手続が終わると、遺言書の保管についての説明を受け、その後に「**保管証**」を受け取ります。この保管証には「**保管番号**」が記載されています。今後遺言書の保管をやめる場合や住所が変更となった場合には、保管番号があるとスムーズに手続が進められます。**保管証は再発行してもらえない**ので、失くさないように気をつけましょう。保管証を紛失しても保管番号さえわかれば、手続は円滑に進められますので、保管番号は管理しておきましょう。

8　自筆証書遺言書の保管申請の注意点

・遺言書は書式等の要件を守って作成しましょう。
・保管申請は予約が必要ですので、予約してから行きましょう。
・保管申請書は必ず事前に記載しておきましょう。
・遺言書は封筒に入れずに遺言書原本を提出しましょう。
・顔写真入りの本人確認書類を用意しておきましょう。
・保管証は紛失しないように気をつけましょう。
・保管番号はどこかに書いておきましょう。
・一度保管した遺言書は撤回するまで返してもらえません。

9　遺言書保管後の手続

　保管した遺言書を閲覧したい場合や、遺言書の保管をやめたい場合、届出事項に変更が生じた場合には、各種書類を作成し予約した上で、法務局にて手続を行ないましょう。「法務省　自筆証書遺言書保管制度」で検索すると、「自筆証書遺言書保管制度のご案内」のパンフレットがあります。詳しくはそちらをご覧ください。

6-11 公正証書遺言を作成しましょう

公証人に公正証書遺言を作成してもらいましょう。自筆証書遺言に比べて公正証書遺言は完成までに時間と費用がかかりますが、それを上回るたくさんのメリットがあります。

1 公正証書遺言のメリット

公正証書遺言の主なメリットは以下のとおりです。
①あなたが自筆で作成する必要がありません。
②公証人が作成するため、遺言が無効になることがありません。
③原本が公証役場で保管されるため、失くす心配がありません。
④家族が家庭裁判所で遺言書の検認を受ける必要がありません。

では、次の手順に基づいて作成方法を説明します。

公正証書遺言の作成の流れ

①遺言書案を作成する
↓
②公証人と打ち合わせをする
↓
③証人を決める
↓
④必要書類を準備する
↓
⑤公正証書遺言書案をチェックする
↓
⑥公正証書遺言書を作成する

2　遺言書案を作成する

　どのような遺言にするのかをよく考えて遺言書案を作成しましょう。まず、財産一覧表と作成済みの自筆証書遺言を用意して、財産の内容を確認しましょう。財産の内容が変わっている場合には財産一覧表を修正しておきます。次に、家族関係図を用意してあなたの相続人となる人を確認します。財産を渡す人は相続人以外でも構いませんが、なるべく相続人となる家族に財産を残しましょう。公正証書遺言の作成を専門家に手伝ってもらう場合には、このタイミングで依頼しましょう。

3　公証人と打ち合わせをする

　近くの公証役場に電話をして、公証人と打ち合わせをする日を予約しましょう。予約した日に公証役場へ行き、以下のことを確認しましょう。
①遺言書案を公証人に伝える
②証人になれる人の範囲を確認する
③必要書類を確認する
④公正証書遺言の作成日を決める

4　証人を決める

　公正証書遺言を作成するには、最低2人の証人の立ち合いが必要です。証人には遺言書の内容を知られてしまいますので、信頼できる人を選びましょう。あなたの家族（推定相続人）や未成年者などは証人になれませんので注意しましょう。公証役場に依頼すれば証人になってくれる人を紹介してくれます（別途費用が必要）。証人が決まったら、2人に遺言書の作成日に立ち会ってもらうようお願いしましょう。

5　必要書類を準備する

必要書類等を準備しましょう。主に以下のものが必要です。
①自分の実印と印鑑登録証明書
②自分と家族との続柄がわかる戸籍謄本
③家族以外に財産を残す場合、その人の住民票※
④遺言執行者を指定する場合、その人の住民票※
⑤遺言書に不動産がある場合、その登記簿謄本と固定資産評価証明書
⑥預金通帳など遺言書の記載内容が確認できる書類
⑦証人の認印と住民票※
⑧公証人に支払う手数料

※住民票が取得できない場合は、住所・氏名・生年月日のメモ

　①～⑦の書類はコピーを取っておきましょう。またできればこれらの書類は前もって準備しておき、公証人との打ち合わせの時に渡せるようにしましょう。

6　公正証書遺言書案をチェックする

　公証人から公正証書遺言書案が郵送やメールなどで送られてきますので、あなたはその遺言書案の記載内容をチェックします。遺言書の記載に間違いがあれば、その旨を公証人に伝えます。

7　公正証書遺言書を作成する

　遺言書の作成日には、証人2人と公証役場へ行きます。当日の流れは次のとおりです。
①公証人が遺言書の謄本をあなたと証人に渡します。
②遺言書の記載内容の読み合わせをします。

③遺言書の記載内容に間違いがないことを確認します。
④用意した必要書類を公証人に渡します。
⑤あなたと証人２人が遺言書に署名・捺印をします。
⑥公証人が署名・捺印をします。
⑦遺言書の「原本」は公証役場で保管されます。あなたは「正本」と「謄本」を受け取ります。
⑧公証人に公正証書遺言書の作成費用を支払います。
⑨公正証書遺言書の完成です。

8　公正証書遺言書作成にかかる費用

公正証書遺言は、遺言書に記載される財産の価額に応じて費用が決定します。

①遺言書作成手数料＋②遺言加算

①遺言書作成手数料

遺言書により財産を取得する人ごとに次の費用がかかります。

財産の価額	手数料
100万円まで	5,000円
200万円まで	7,000円
500万円まで	11,000円
1,000万円まで	17,000円
3,000万円まで	23,000円
5,000万円まで	29,000円
1億円まで	43,000円
3億円まで	5,000万円ごとに13,000円を加算
10億円まで	5,000万円ごとに11,000円を加算
10億円超	5,000万円ごとに8,000円を加算

②遺言加算

財産の価額が1億円までの場合には 11,000 円が加算されます。

9　公正証書遺言の上手な使い方

遺言書が複数見つかった場合には、最新の日付のものが有効となります。つまり、遺言書は何度でも書き直すことが可能です。しかし、一度公正証書遺言書を作成すると、新たな遺言書を作成するのは面倒ですし、再度公正証書遺言書を作成する場合には、また公証人に支払う公正証書の作成費用もかかってしまいます。

何度も遺言書を作成し直すことにならないように、遺言による預金の指定については、以下のような方法を使い一工夫することで、現在の遺言書を活かしたまま、相続分の調整を行なうことができます。

①預金口座の整理は相続人の数とする

> 例：相続人が3人　⇒　預金口座は3つ

②各相続人にひとつずつ預金口座の預金を相続させるよう遺言書に書く

> 例：配偶者には預金Aを相続させる
> 　　長男には預金Bを相続させる
> 　　長女には預金Cを相続させる

③家族の環境が変わり、各相続人に相続させたい内容や金額に変更が生じた場合には、遺言書を書き直すのではなく、預金口座内の預金残高を変えることで、各相続人の相続分を調整する

> 例：配偶者が自分の両親から相続を受け、配偶者の財産が大きくなったので、長男と長女の相続分を増やすことにした。
> 遺言書を書き直すのではなく、預金Aにあるお金を預金Bと預金Cに移動して、各相続人の相続分を調整した。

　預金口座の数は、相続人の数でなければならないというわけではありませんが、あなたの財産を可能な限りシンプルにすることが、相続対策においてとても重要であることはここまでで説明してきたとおりです。
　このように一工夫することにより、調整可能でシンプルな遺言書を作成することができます。反対に、**遺言書を作成した後に預金口座を開設すると、遺言書に記載のない財産が残ってしまう、遺言書に記載がない預金口座へ預金を移動することで相続する人が変わってしまう**などが起こる場合があります。
　「財産の把握」、「財産の整理」、「財産の移転」を行なった後、つまり、相続対策の最後に、「シンプルな遺言書」を作成することができれば、あなたが相続対策においてできることはほぼ実行したといえるのです。

MEMO　公正証書遺言があるととてもスムーズです

　公正証書遺言により相続手続を行なう場合には、相続人を明らかにする必要がないため、「被相続人の出生から死亡までの戸籍謄本」を揃える必要がありません。また公正証書遺言があると、誰が相続するかが事前に決まっているため、金融機関などの各手続先窓口では相続手続をスムーズに進めてくれます。ただし相続税の申告が必要な場合には、公正証書遺言があっても、添付書類として「被相続人の出生から死亡までの戸籍謄本」が必要となります。

コラム　遺言書は「目的」ではなく「手段」です

　税制改正により、「相続対策ブーム」が巻き起こりました。これに伴い、テレビ、新聞、雑誌、セミナーなど、多くのメディアで「遺言書の作成」の話題が取り上げられています。しかし、その内容はというと、作成すること自体が目的であるかのような情報になっているようです。しかし、遺言書作成は、あくまで相続対策の「目的」を達成するための「手段」だということを覚えておいてください。

　相続対策の目的は、「あなたの相続がきっかけで家族の関係が悪化してしまうことなく、今後も仲よくつき合っていけるようにすること」で、その手段として遺言書の作成があるのです。このことを理解して、遺言書を作成してほしいと思います。

　遺言書を作成しておくと、あなたに相続が発生した時、あなたが作成した遺言書のとおりに家族が財産を相続するので、相続が「円滑に」進みます。しかし、あなたの家族がこの遺言書のおかげで良好な関係でいられるかといえば、そうとは限りません。なぜなら遺言書の内容に不満を持つ家族がいるかもしれないからです。

　なぜ、あなたがこのような遺言書を書いたのか、その真意がわからないまま相続手続が進むと、家族の間に溝ができていきます。遺言書はその効力の高さゆえ、遺言書の内容に不満な家族がいたとしても、遺留分を侵害していない限り遺言書の内容を覆すことはできないからです。

　そうならないようにするためには、なぜこのような内容の遺言書を作成したのかを「付言事項」に書いておく。または、家族に自分の考えと想いを伝えておく。これがとても重要です。コミュニケーション不足による「憶測」や「誤解」が生まれることが一番怖いのです。

コラム　家族名義の証券口座にもご注意を

　相続税申告の打ち合わせのため、相続人の奥様と話をした時のことです。ご主人が亡くなられ、相続人は、妻、長男、長女の3人、相続財産は約5,500万円でした。基礎控除は4,800万円あり、小規模宅地等の特例が使えるので、おそらく相続税はかからないだろうと奥様には説明していました。ところが、奥様と世間話をしていると、株主優待の話になりました。

奥様：「○○食品はこんなにおいしいものがもらえるのよ。△△製薬は洗剤がもらえるからうれしい。株主優待で生活必需品のほとんどが揃っちゃうのよね」

　このように、奥様はいきいきとお話されました。しかしこれらは、ご主人の相続財産として聞いていないものばかりでした。

私：「奥様は株をお持ちなのですか？」

奥様：「はい、私の名義で○○証券で株を持っています」

私：「奥様は、確かご結婚されてからは、専業主婦で一度もお仕事をされてないとおっしゃってましたよね。もしかすると相続税の申告に影響するかもしれないので、すみませんが、取引残高報告書を見せていただいてもよろしいですか」

　すると、なんと奥様名義の証券口座に、株式を約2億円持っていました。これはご主人の収入から得たお金で購入したもので、相続税の課税対象となります。奥様には丁寧に、これらの株式を相続財産に含めて申告をしなければならないことをご説明しました。

　預金口座だけではなく証券口座にも、相続財産に含めなければならない家族名義の財産が存在する場合があります。お金や株式の家族間での移動については、慎重に行動しましょう。

コラム　成年年齢の引き下げと相続への影響

　民法の改正により、2022年4月から成人となる年齢が20歳から18歳に引き下げられました。18歳に引き下げられた理由は、世界的には18歳成人が主流であること、18歳と19歳を社会活動に参加させることなどがあげられています。公職選挙法の改正により先に引き下げられた選挙権についても同様です。そこで、主な「18歳からできること」と「20歳からしかできないこと」をまとめてみました。

18歳からできること	20歳からしかできないこと
・各種契約 　証券口座の開設、携帯電話の契約、 　賃貸物件の契約、 　クレジットカードの作成、ローンの契約など ・国家資格の取得 　公認会計士、司法書士、医師免許、 　薬剤師免許など ・結婚（男性、女性ともに18歳から） ・10年間有効なパスポートの取得	・飲酒、喫煙 ・競馬、競輪などの公営ギャンブル ・養子を迎えること ・国民年金への加入義務 ・大型・中型自動車免許の取得

　また、成年年齢の引き下げによる相続への影響は次のとおりです。

項目	内容
①遺産分割協議	**18歳**から遺産分割協議に参加できます
②未成年者控除	（**18歳**－相続開始時の年齢）× 10万円 ＝ 未成年者控除額
③相続時精算課税制度	60歳以上の祖父母、父母から**18歳**以上の子・孫への贈与に適用
④贈与税の特例税率	祖父母、父母から**18歳**以上の子・孫への贈与に適用
⑤結婚・子育て資金の一括贈与	祖父母、父母から**18歳**以上50歳未満の子・孫への贈与に適用

　18歳から遺産分割協議に参加できるようになり、18歳、19歳の子に代理人を立てる必要がなくなったため、より円滑に相続手続が進められるようになりました。しかし、18歳から成人となることにより消費者被害が増加するといわれています。18歳、19歳の子や孫がトラブルに巻き込まれないように家族で気をつけたいものです。

コラム　コロナ禍の相続

【家族構成】
　　被相続人：父A
　　相続人：母B、子C、子D

　コロナ禍、父Aに相続が発生しました。母Bは介護施設に入居していました。私は税理士として、子Cと子Dと共に母Bの介護施設に面会に行き、相続財産の説明と遺産分割をまとめる予定でした。介護施設の入口前に着いて施設に電話をし、しばらくするとヘルパーさんと車いすに座った母Bが現われました。母Bとはガラス越しの面談となりました。私は自動ドアを挟んで母Bに父Aの財産の説明をはじめましたが、母Bは耳が遠く、またガラス越しなので説明が聞き取れません。マスクがあると口の動きが読み取れないようで、母Bの苛立ちは募る一方でした。またうまく話が進まないためか、子C、子Dも苛立ちを隠せませんでした。仕方なく私たちはマスクを外し、交互に自動ドアの隙間から声が届くように話をはじめました。自然と声も大きくなります。すると、ヘルパーさんが飛んできて「ドアの隙間に顔を近づけて話さないでください」と私たちに注意しました。施設でも感染者を出さないよう敏感になっているようでした。ヘルパーさんもお金に関わる内容なので聞いてはいけない話だとわかっていても目を離せないといった状況に苛立っている様子でした。
　このように、平時でもストレスが溜まりやすい相続手続が、コロナ禍では物理的にも精神的にもなかなか前に進まず、家族のストレスはピークに達します。コロナ禍の相続対策の重要度は増すばかりです。

7章

家族への想いを形にして残しましょう

2章	①最低限の相続の知識を得る
3章	②相続対策の準備をする
4章	③財産を「把握」する
5章	④財産を「整理」する
6章	⑤財産を「移転」する
7章	⑥家族にあなたの想いを伝える

7-01 相続に対するあなたの想いを家族に知らせましょう

　ここまで、「財産の把握」「財産の整理」「財産の移転」という3つの相続対策を行なってきました。「財産の把握」により、あなたの財産の内容が明らかになり、「財産の整理」により、あなたの財産がシンプルになり、そして「財産の移転」により、あなたが今後の人生の中で使う財産を手元に残し、それ以外の財産を家族に移転することで、遺産分割対策や相続税対策を進めてきました。

　そして最後となる本章では、相続対策の総仕上げとして、家族にあなたの想いを伝える準備をしていきましょう。

1　「家族にあなたの想いを伝える」とは

　あなたに相続が発生した時に、**自分の財産をなぜこのような分割方法で家族に相続させたいと思うのかを、その理由を添えて説明すること**が、あなたの想いを伝えるということです。また、今後、家族にどのように生きてほしいのか、そのためにあなたの財産をどのように使ってほしいかなどを伝えることもそのひとつです。

2　なぜ家族にあなたの想いを伝えるのか

　「家族にあなたの想いを伝えること」の目的は、**家族全員があなたの想いを知ること**にあります。あなたの言葉を通じて、遺産分割の方針を家族全員で共有することができます。これにより、**親子間や兄弟姉妹間における「憶測」や「誤解」によるトラブルを防ぐ**ことができるのです。

3　やるべきこと

　家族に想いを伝えるために、次のことを含める必要があります。
・どのような財産がどれだけあるのか
・相続税の申告は必要か、相続税はいくらになるのか
・財産をどのように分けてほしいと思っているのか
・家族には今後どのように生きていってほしいのか　など
　これらのことを家族に正確に伝えるために、以下の書類を揃えましょう。

用意する資料

□最終版の種類別財産一覧表
□相続税の状況を記したもの
□家族関係図
□遺言書（自筆証書遺言、公正証書遺言のいずれか）
□家族に伝えておくべきこと
□あなたの想いを記したもの　など

4　「財産」以外に把握しておきたいこと

　あなたに相続が発生した時に、財産に関する手続以外に必要な手続がある場合には、何をしなければならないかを書き記しておきましょう。

　特にやっておきたいのは、**クレジットカードの情報の一覧表とインターネットサービスの情報の一覧表の作成**です。クレジットカードについては「カード名」「会社名」「カード番号」「有効期限」「セキュリティ番号」を、インターネットサービスについては「サービス名」「会社名」「ＩＤ」「パスワード」をまとめておきましょう。

5　これらの書類を整理して保管できるよう準備する

　揃えた書類を整理するためにファイルを準備しましょう。どのようなものでも構いませんが、手頃なのは、100円ショップでも売っている10枚から20枚の書類を入れられるクリアファイル（クリアブック）です。このファイルに作成した書類や遺言書などを入れて保管します。

ファイルの作成方法

①**ファイルを準備しましょう**
　クリアファイル（10枚〜20枚のもの）
②**表紙を作成しましょう**
　ファイルの1枚目に入れる表紙を作成しましょう。
　（例：「山田太郎の財産について」というタイトルを書く）
③**次の順番に書類をファイルに入れましょう**
　・表紙
　・種類別財産一覧表
　・相続税の状況
　・家族関係図
　・遺言書（遺言書を作成している場合のみ）
　・家族に伝えておくべきこと
　・あなたの想い

7-02 最終版の種類別財産一覧表を作成しましょう

　4章で、種類別財産一覧表を作成しました。その後「財産の整理」、「財産の移転」を行なったことで、あなたの財産の種類や数量が変わっているはずです。相続対策後の最終版の種類別財産一覧表を作成して、書類を保管できるよう準備しましょう。

1　最終版の種類別財産一覧表を作成する

　5章「財産の整理」で作成した財産整理後の種類別財産一覧表に、6章「財産の移転」で行なった相続対策を反映させて、最終版の種類別財産一覧表を作成しましょう。

　最終版の種類別財産一覧表から以下のことを確認しましょう。
①あなたの財産がシンプルになったかどうか
②あなたにとって必要な財産だけが残っているか
③あなたにとって使える財産だけが残っているか
④思いどおりに家族に財産を移転することができたか

2　種類別財産一覧表を保管する

　あなたが亡くなった時には、家族がこの種類別財産一覧表を参考にして相続手続を行ないます。事前に確認してもらったほうがよいのですが、子がまだ若い、財産をあてにしてしまうなどの理由で、この時点で財産一覧表を家族に見せることが適切でない場合には、保管場所を配偶者などの信頼できる家族に伝えておくだけでもよいでしょう。

7-03 相続税の状況を作成しましょう

「相続税の状況」を作成し、種類別財産一覧表と一緒に整理し、保管しましょう。

1 財産一覧表を用意する

4章17で「相続税の申告は必要か」と「相続税はいくらになるのか」などを確認するために作成した「財産一覧表」を用意します。

2 相続税の申告の判定と相続税の概算額を計算し直す

この財産一覧表に「財産の整理」「財産の移転」で行なった相続対策の状況を反映させて、相続税を計算し直しましょう。

3 修正後の財産一覧表を確認する

修正後の財産一覧表から以下のことを確認しましょう。
①相続税の申告は必要か
②相続税はいくらになるのか
③家族は相続税を支払うことができるか

①〜③を財産一覧表の下にまとめておきましょう。

4 相続税の状況を保管する

「相続税の状況」は、最終版の「種類別財産一覧表」と共に保管します。この2つの表は、まとめてクリアファイルに入れておきましょう。

7-04 家族に伝えておくべきことを書きましょう

あなたにもしものことがあった時に、家族に迷惑をかけないためにも、家族に伝えておくべきことを書き記しておきましょう。

1　大切なものの保管場所

あなたの財産や契約に関する大切なものがバラバラの場所に保管されていると、家族は相続手続中に何度も家の中を探さなければなりません。**大切なものは整理してまとめて保管しておく**と共に、保管場所を一覧表にまとめておきましょう。

> 例：
> 預金通帳、キャッシュカード、印鑑、保険証書、権利証、
> 健康保険証、年金証書、契約書、クレジットカードなど

2　名義変更が必要なサービス

公共料金などの普段の生活に必要なサービスは、相続開始後にすぐに名義変更をしなければなりません。これらの費用については、4章12**「口座振替一覧表」**と5章8**「クレジットカード払い一覧表」**を確認しながら集約し、整理後の最終版一覧表を作成しましょう。

> 例：
> 電気代、水道代、ガス代、電話代、携帯電話代、新聞代　など

3 解約手続が必要なサービス

　相続では、財産やサービスの名義変更手続のほか、あなたが利用していたサービスの解約手続にもとても時間がかかります。解約が必要なサービスについては、一覧表にまとめておくと、家族は解約しなければならないものが明らかになるため、とても楽に手続ができます。

①クレジットカード

　クレジットカードの解約手続がスムーズに進められるよう、「クレジットカード一覧表」を作成して、あなたが持っているクレジットカードをまとめておきましょう。

②インターネット会員

　家族は、あなたがどのようなインターネットサービスを利用しているか意外と知らないものです。このインターネットサービスの解約手続は、普段目にする機会がないので、家族にとってとても厄介です。あなたが利用しているインターネットサービスは必ずまとめておきましょう。インターネット会員の必要な情報は、「**サービス名**」「**会社名**」「**ＩＤ**」「**パスワード**」の４点です。

```
例：インターネットサービスの例
・有料会員
　　ウイルスソフト、ネットショッピング、動画配信サービス　　など
・無料会員
　　ネットバンキング、ネット証券、フリーメール、ＳＮＳ、
　　ホームページ、ブログ、宿泊施設や飲食店の予約サイト、
　　マラソン大会のエントリーサイト　　など
```

クレジットカードのセキュリティコードや、インターネットサービスのパスワードは、他人に知られてしまうと不正利用をされてしまう恐れがあります。エクセルなどパソコンで管理してパスワードをかけておくという方法がありますが、安全度が高い方法とはいえません。一覧表を紙で作成し、金庫などで管理するという方法もあります。いずれの方法をとったとしても100％安全な方法とはいえませんので、責任を持って厳重に管理するようにしましょう。

4　お葬式について

　お葬式は結婚式などと違い、急に訪れます。亡くなった日の当日に、家族は葬儀会社へ行き、決して安くはないお葬式のプランを1時間程度で決めなくてはならないのです。葬儀会社を比較する時間はないので、葬儀の内容や葬儀費用の相場を知らずに、質の低いサービスに対して必要以上に高額な費用を支払ってしまったという話もよく聞きます。

　家族にお葬式で大変な思いをさせないためにも、あなたが生前に葬儀会社へ行き、お葬式の内容の確認や見積もりを取っておくことをおすすめします。

　そして、どの葬儀場でどのようなお葬式をしてほしいのか、どの程度の費用をかけて何人くらい呼んでほしいのか、などをまとめておくと、**家族はあなたの希望どおりにすればよいので、安心してお葬式を進めることができます。**家族が死を悲しむ余裕もなく葬儀が終わってしまったということにならないように、事前に準備することを考えましょう。

7-05 あなたの想いを書きましょう

あなたの想いを家族に正確に伝えるためには、その場の思いつきで説明することにならないよう、伝えておくべきことをきちんと書き記しておく必要があります。たとえ遺言書を作成しているとしても、必ず書いておきましょう。

1　あなたの財産をどのように相続させたいか

あなたの財産を「なぜこのような分割方法で家族に相続させたいと思うのか」、理由を添えて説明できるように書いておきましょう。理由は、理論的な理由であっても感情的な理由であってもよいと思います。

> （記載例）
> - **母さんと2人で築いてきた財産**なので、すべて母さんに相続させたいと思います。一郎（子）たちは、私と母さんが亡くなってから、私たちの財産を引き継いでください。
> - 私は**長男である**博史に、すべての不動産を相続してほしいと思っています。恵子（長女）たちには少しですがお金を残すつもりでいます。博史の相続分が多くなってしまいますが、博史を立ててください。
> - 遺言書にも書きましたが、**同居してくれている**二女の紗子に、自宅を相続させたいと思います。預金は、紗子を含め3分の1ずつにしてください。紗子が自宅の分だけみんなより多くなりますが、これは私から紗子への感謝の気持ちです。

> - ずっと**病気がち**の浩二（三男）には、現金を多く相続させよう思います。これは、病気で仕事ができない浩二の将来が不安だからです。みんなよりも浩二のことをひいきしているからではありません。どうかこのことを理解して兄弟仲よくしてください。
> - 本当に**私の面倒をよくみてくれた**雅子（三女）には、多めに相続させたいと思います。これは父さんが決めたことですので雅子に悪気はありません。どうか雅子と他の子たちとの関係が悪くならないようくれぐれもよろしくお願いします。　　など

2　あなたの財産をどのように使ってほしいか

今後、家族にどのように生きてほしいのか、そのためにあなたの財産をどのように使ってほしいかなどを書いておきましょう。

> （記載例）
> - 父さんが亡くなった後は、母さんのことを子どもたちみんなで支えてあげてください。
> - 母さんが介護施設に入居する時には、母さんに相続させる私の〇〇銀行にあるお金を使ってください。
> - 兄弟（姉妹）、これからもずっと仲よく、つき合っていくことを願っています。
> - そのために、父さんの財産を使って年に一度、みんなで旅行へ行ってください。　　など

「私はこう思っているんだよ！」ということを、**家族全員の前で正確に**伝えられるように、具体的に詳しく書き記しておきましょう。

06 自分の言葉で家族に想いを伝えましょう

相続対策の総仕上げとして、あなたが実行した相続対策を家族に説明しましょう。そして、どのような相続対策を行なったのか、家族への想いを伝えましょう。

1　なぜ家族にあなたの想いを伝えるのか

前述しましたが、「家族にあなたの想いを伝えること」の目的は、家族全員があなたの想いを知ることにあります。あなたの言葉を通じて、あなたの相続における遺産分割の方針を家族全員で共有することができます。これにより、親子間や兄弟姉妹間における「憶測」や「誤解」によるトラブルを防ぐことができます。

例えば、「兄は、父の財産が目的で積極的に面倒をみているんじゃないか？」というように「憶測」でものを考えたり、姉が「妹は仕事で忙しいから父さんの預金管理は私がやるから安心してね」と善意でいったとしても、妹は「私に父さんの財産を触れさせないつもりね」ととってしまうような、「誤解」が生じたりすることがあります。

あなたの想いをあなたの生の言葉で伝えることで、家族内に「憶測」や「誤解」のないスムーズで円満な相続を実現することができるのです。

2　「家族にあなたの想いを伝える」時のポイント

ここで大切なのは、**家族全員の前で伝える**という点です。例えば、あなたの想いを家族の1人に伝え、その伝えたことを「他の家族全員に伝

えておいてほしい」といってもうまくいきません。あなたの言葉を又聞きで伝えられた家族は、どこまで信じることができるでしょうか。逆に、伝えた人と伝えられた人との間に「憶測」や「誤解」を生じさせてしまい、トラブルの原因となってしまいます。

　あなたの想いを伝えることはとても大切なことですが、伝え方を間違えると、それがトラブルの火種となることもあるのです。伝え方にはくれぐれも注意しましょう。

3　ファイルと共に想いを伝えましょう

　財産をまとめたファイルを家族に見せながら、ここまで行なってきた相続対策を確認してもらい、想いを家族に伝えていきましょう。

① 財産一覧表を説明する

　相続対策後の「種類別財産一覧表」を確認しながら、どのような財産がどのくらいあるのかを家族に伝えましょう。

②相続税の状況について説明する

　「相続税の状況」を確認しながら、あなたに相続が発生した時に、**相続税の申告が必要か、相続税はいくらになるのか、家族は相続税を支払うことができるかの３点を説明しましょう。**

　これらの情報を伝えることは、家族に安心感を与えることができると共に、あなたの相続発生後、家族がすぐに相続手続を行動に移すことができます。できることなら、「相続税の申告は、○○先生にお願いしてください」などのように、誰に何を依頼するかも決めておくことができれば、家族の負担はさらに減ることになるでしょう。

③家族に伝えておくべきことを説明する

　「家族に伝えておくべきこと」を確認しながら、**大切なものの保管場所、名義変更が必要なサービス、解約手続が必要なサービス、お葬式につい**

てどうしてほしいか、など、相続が発生した後、できるだけ早く進めたい手続については一覧表にまとめてあることを家族に伝えておきましょう。

④遺言書を説明する

　遺言書を作成している場合には、その遺言書を確認しながら、**なぜこのように相続させたいと思っているのかを家族に説明しましょう**。もし遺言書を作成していない場合であっても、このように相続してほしいと思っているということを家族に伝えておくべきです。この「家族へ想いを伝える」ということはとても大切で重要な行動です。正確に伝えなければ、家族に「憶測」や「誤解」が生じ、家族間のトラブルの火種となる可能性があるからです。7章5で書いた「家族への想い」を見ながら、家族へ伝えたいことを漏れなく正確に伝えましょう。

　遺言書は作成するだけでは不十分です。特に相続人間で不平等な内容となっている場合には、相続する財産が少ない相続人は到底納得することができません。遺言書の効力は高いため、遺言書に書かれた内容で確実に相続手続は進んでいきます。**遺産分割は円滑に進みますが、スムーズに進めばよいというものではありません**。この遺言書が基で家族の関係に亀裂が入ってしまっては元も子もなくなります。

　そうならないように、遺言書はできるだけ平等な内容にしたいところです。しかし、不動産などが理由でどうしても不平等にならざるを得ないことのほうが多いです。このような場合には、たとえ不平等な遺産分割になってしまったとしても、なぜこのような分割内容の遺言書になったのか、どのような想いからこのような内容となったのかを、あなたの言葉で家族に伝えましょう。**家族は生前にあなたの言葉を聞いているからこそ納得することができます**。

逆にあなたが亡くなった後に遺言書が発見されて、不平等な内容の遺言書が出てきた場合、家族はどのような気持ちを抱くでしょうか。例えば、「父は、私のことを嫌っていたのではないか」「母は私より兄のほうが大切だったのではないか」「兄が、母にこのような内容の遺言書を書かせたのではないか？」。このような憶測が頭をよぎります。それが原因で親子間、兄弟間の仲が悪くなることだってあります。このようなことには絶対にしてはいけません。そのために遺言書は書きっぱなしで終わるのではなく、必ず家族に想いを伝えるところまでやりましょう。これが「家族のため」に行なう遺言書を使った本当の相続対策です。

4　現時点で家族に相続対策ファイルを見せることができない場合

今の時点で、まだ家族に相続対策ファイルは見せられないと判断した場合には、このファイルを見せずに保管しておきましょう。ファイルの保管場所は、配偶者などの信頼ができる相続人に伝えておきましょう。「いずれ家族みんなに見せるつもりでいるが、私にもしものことがあった場合には、相続対策ファイルをここへ保管しているので、このファイルに書かれているとおりに実行してほしい」と伝えておきましょう。

例：
・子がまだ20代で、我が家の財産を知ってしまうことが、後の人生に悪い影響を及ぼす可能性がある場合
・家族の中にお金に困っている人がいて、あなたの財産をあてにするようになる場合

07 円満相続のための「財産整理」のまとめ

ここまで本書でやってきたことをおさらいしてみたいと思います。
①最低限の相続の知識を得る
②あなたの財産を把握する（財産一覧表の作成、相続税について）
③あなたの財産を整理する（不要なものは換金する）
⑤あなたの財産を移転する（あなたが必要な財産のみ手元に残す）
⑥あなたの財産を相続させる人を決める
⑦あなたの想いを家族に伝える

1　相続を円滑に、そして円満に

　ここで、相続対策の目的を再度確認しておきたいと思います。
　「相続発生後、あなたの家族がスムーズに相続を終えられること」。ただ、それだけではありませんでした。**「相続発生後、あなたの家族が相続によってわだかまりが生じることなく、共に仲よく人生を歩んでいけること」**でした。「相続を円滑に」だけではなく、「相続を円滑に円満に」です。家族があなたの死をきっかけにして、さらに絆を深めて、支えあって生きていくことです。そのためにあなたができることは、**財産をシンプルに、相続をシンプルにする**ことなのです。
　相続税を減らすことだけが相続対策ではありません。むしろ、多くの相続税対策は、財産を複雑にする方向に進みます。相続対策は遺産分割対策がメインなのです。
　相続対策は、あなたの財産を把握すること、あなたの財産を整理する

こと、ここまでであっても十分効果があります。相続発生後、家族が行なう相続手続が激減するからです。後は、あなたが家族のためにどうしてあげたいかを考えてそれを形にする「財産の移転」をあなたができる範囲でしてあげればよいと思います。もちろん、あなたの家族の人生を狂わせてしまうような「財産の移転」をしないように注意する必要があります。

もし、どうしても相続税対策が必要な場合には、財産の価値を落とさずに相続税を抑える方法を優先的に検討しましょう。生命保険の非課税枠の活用、贈与（特例を利用した贈与を含む）、小規模宅地等の特例の適用、ここまででも十分です。普通の家庭ではほとんどの場合、これら以外のことを積極的にやる必要はないので、上記の方法を最大限に活用することを第一に考えましょう。

2　あなたの想いを丁寧に伝えること、ただそれだけ

また、あなた本位のやり方で相続対策を進めると、家族が喜ばない可能性もあります。そこで、家族の気持ちとあなたの想いを一致させる作業が必要です。それが家族での話し合いです。しかし、仲のよい家族だからこそ、あなたの死後の財産の話が家族内でできないのも無理のないことです。本来は、家族での話し合いができればそれが最高の相続対策につながるのですが、話し合いができなければ無理にする必要はありません。しかし、あなたの想い（意思）を家族に伝える、これだけは必ずやっていただきたいと思います。**相続は理屈だけではありません。感情のやり取りが多く含まれています。**だからこそ相続人となった家族が感情のコントロールができるように、あなたの意思を丁寧に伝えてあげることが重要なのです。

普通の家庭が行なう相続対策は、ただこれだけのことといえるのです。

相続対策書き込みシート

種類別財産一覧表

■預金一覧表

銀行名	支店名	種類	口座番号	残高	備考
合計					

■有価証券一覧表

(　　　)証券

銘柄名	種類	数量	評価額	備考
合計				

その他の有価証券

銘柄名	種類	数量	株価	評価額	備考
合計					

■不動産一覧表

土地

所在地	地目	利用状況	路線価	地積	評価額	備考
合計						

建物

所在地	利用状況	固定資産税評価額	評価額	備考
合計				

■その他の財産一覧表

商品名	購入先	購入金額	評価額	備考
合計				

■生命保険一覧表

会社名	種類	番号	契約者	被保険者	受取人	保険金額	備考
合計							

■債務一覧表

種類	内容	相手先	金額	備考
合計				

財産一覧表

(単位：円)

種類	金額	割合
現金預金		%
有価証券		%
生命保険		%
すぐに換金できる財産		%
土地		%
建物		%
その他		%
すぐに換金できない財産		%
正の財産総額		100.0 %
負の財産総額（債務）▲		―
財産総額		―
非課税金額 ▲		
Ⅰ 相続税申告の判定金額		
小規模宅地等の評価減 ▲		
Ⅱ 相続税計算上の財産総額		
基礎控除 ▲		
Ⅲ 課税財産総額		
Ⅳ 相続税額		

相続税の状況

① 相続税の申告は必要かどうか

　➡ 相続税の申告は(必要・不要)である

② 相続税はいくらになるのか

③ 家族は相続税を支払うことができるか

　➡ 家族は相続税を支払うことが(できる・できない)

大切なものの保管場所

名称	保管場所	備考

名義変更が必要なサービス

■口座振替一覧表

項目	会社名	銀行名	支払日	備考

■クレジットカード払い一覧表

項目	会社名	カード会社名	支払日	備考

解約手続が必要なサービス

■クレジットカード一覧表

カード名	会社名	カード番号	有効期限	備考

■インターネットサービス一覧表

サービス名	会社名	ID	パスワード	備考

お葬式について

家族に伝えたい想い・メッセージ

おわりに

　最後までお読みいただきありがとうございました。本書を読み、相続対策を実際にやってみてどう思われたでしょうか。相続対策はそんなに難しくないということがおわかりいただけたのではないでしょうか。

　私はこれまで、たくさんの相続税の申告をお手伝いさせていただいてきました。様々な環境のご家族にお会いし、お話してきた中で、相続人となったご家族がどのようなことを望み、どのようなことを感じているかを最も近い立場で見てきました。その結果、「財産をシンプルにする相続対策」が、本人にとっても家族にとっても一番なのではないか、という結論にたどり着きました。

　家族へ想いを伝えるという行動。私にその時が訪れたら、私自身が自分の家族へ伝えたい言葉があります。それは、「相続で家族が揉めることは恥ずかしいことである！」という言葉です。家族へは私の相続で揉めることがないように、自分の言葉で伝えたいと思っています。
　生前のあなたからの言葉は、家族にとても大きな影響を与えます。だからこそ家族へはあなたの想いをきっちり伝えなければならないのです。

　これから相続人となる方に考えていただきたいのは、両親からの相続は、子からすれば、「棚からぼた餅」です。たとえ相続税がかかるとしても、支払うべきものを支払って残った財産は親からの贈り物です。「両親に感謝して引き継いだ財産を大切に使わせてもらう」。このように考えてはいかがでしょうか。

財産をもらうことを「当たり前」だと思っているとしたら、それが揉める原因になるのではないかと思います。

　本書は、「仲のよい普通の家庭のため」の相続対策です。財産の所有者である読者が、自分自身のため、家族のために行なう行動について書いてきました。
　最後までお読みいただいた読者のあなたには、家族に迷惑をかけないために、また、あなたの人生をよりよいものとするために、引き続きシンプルな相続対策に取り組んでいただきたいと思います。そして、あなたの前向きな行動により、家族があなたの相続に直面した時に、円滑で円満な相続を迎えられることを願っております。

　最後に、本書の出版にあたり、陰ながらずっと支えてくださった編集担当の津川雅代様、本書を出す機会を与えてくださった古市達彦編集長には、心から感謝しております。ありがとうございました。また、執筆にあたり支えてくれた事務所のスタッフや家族にも本当に感謝しています。
　そして本書を手に取って読んでくださったあなたには、心からの感謝と、幸せな人生を送ることができるようお祈りしています。

堀口敦史

読者限定プレゼント

本書をお買い上げいただき、ありがとうございます。
少しでも読者のみなさまのお役に立てるよう、読者プレゼントをご用意いたしました。ぜひご活用いただければと思います。

【プレゼントの内容】
1. 種類別財産一覧表(Excel、PDF)
2. 財産一覧表(Excel、PDF)
3. 家族関係図(Excel、PDF)
4. 堀口税理士事務所の相続対策サービスの特別クーポン

読者限定プレゼントのお申し込みは、堀口税理士事務所のホームページへアクセスし、バナーをクリックして専用ページからご登録ください。

堀口税理士事務所URL
https://horiguchi-zeirishi.com/

※特典は予告なく内容を変更・終了する場合がありますことをご了承ください。

著者略歴

堀口 敦史（ほりぐち あつし）

税理士、行政書士、1級ファイナンシャル・プランニング技能士
堀口税理士事務所　堀口行政書士事務所　代表
堀口会計コンサルティング株式会社　代表取締役

1977年生まれ、大阪府吹田市出身。個人税理士事務所で5年間、大手税理士法人で5年間の実務経験を積む。税理士法人勤務中には三井住友銀行へ2年間出向。相続対策400件、事業承継対策150件を超える案件に携わる。平成23年12月に堀口税理士事務所を開業。「お客様のよきパートナーとなり、不安を安心に変える」を使命とし、相続税に強い税理士として地元吹田市を中心に活動中。開業後10年間で400件を超える相続税の申告をすべてひとりで行なっている。お客様からは「丁寧で誠意のある対応に感謝」「実家の近くにあってよかった」「経験豊かで心強かった」などの声が寄せられ、経営理念のひとつである「相続税の申告を通じて、お客様を心温まる円満な相続へ導く」を実現すべく、真の相続の実務家として邁進中。

趣味はサッカー、マラソン、トレイルランニング、ピアノ。家族は妻と3人の娘に恵まれ、仕事、趣味、子育てと忙しい毎日を送っている。

〒565-0825　大阪府吹田市山田北8-10-201
TEL:06-6876-8035　FAX:06-6876-8036
https://horiguchi-zeirishi.com/
info@horiguchi-zeirishi.com

※本書は基本として2022年1月時点の法律に基づいて作成しております。

改訂版　家族に迷惑をかけないために
今、自分でやっておきたい相続対策

2022年3月7日　初版発行

著　者　——　堀口　敦史

発行者　——　中島　治久

発行所　——　同文舘出版株式会社
　　　　　　東京都千代田区神田神保町1-41　〒101-0051
　　　　　　電話　営業03(3294)1801　編集03(3294)1802
　　　　　　振替00100-8-42935　http://www.dobunkan.co.jp

©A.Horiguchi　　　　　　　　　　ISBN978-4-495-54105-7
印刷／製本：萩原印刷　　　　　　Printed in Japan 2022

JCOPY　〈出版者著作権管理機構 委託出版物〉
本書の無断複製は著作権法上での例外を除き禁じられています。複製される場合は、そのつど事前に、出版者著作権管理機構(電話 03-5244-5088、 FAX 03-5244-5089、 e-mail: info@jcopy.or.jp)の許諾を得てください。